Jesus Vino Para Salvar a los **Pecadores**

Anteriormente titulado Toda la Gracia

Donado por CLI Prisión Alianza
Box 97095 Raleigh NC 27624
¡Escribenos una carta hoy!
Inscribirse en el estudio bíblico de CLI.

Por tanto, habiendo pasado por alto los tiempos de ignorancia, Dios declara ahora a todos los hombres, en todas partes, que se arrepientan. (Hechos 17:30)

Jesús Vino Para Salvar a los **Pecadores**

Una conversación sincera con los que anhelan la salvación y la vida eterna

CHARLES H. SPURGEON

Traducido: Neyla M. La Salvia

Nos encanta escuchar a nuestros lectores. Póngase en contacto con nosotros en la página web www.anekopress.com/questions-comments con cualquier pregunta, comentario o sugerencia.

Jesús Vino Para Salvar a los Pecadores – Charles H. Spurgeon
Edición actualizada de los derechos de autor © 2021
Primera edición publicada en 1886
Anteriormente titulado *Toda la Gracia*

Diseño de la portada: Natalia Hawthorne
Fotografía de la portada: Begun/Shutterstock
Traducido: Neyla M. La Salvia
Editor: Rodney La Salvia

Aneko Press
www.anekopress.com
Aneko Press, Life Sentence Publishing, y nuestros logotipos son marcas comerciales de
Life Sentence Publishing, Inc.
203 E. Birch Street
P.O. Box 652
Abbotsford, WI 54405

RELIGIÓN / Fe

Paperback ISBN: 978-1-62245-811-0
eBook ISBN: 978-1-62245-812-7
10 9 8 7 6 5 4 3
Disponible donde se venden libros

CONTENIDOS

Para Ti

En mis esfuerzos por discutir mejor este tema tan importante, he escogido un lenguaje sencillo y claro para que sin importar quien lea este libro el Espíritu Santo pueda impresionarlos con la verdad; Y ya sea con o sin estudios, no importa quién lo lea, sea impactado con la verdad encontrada en estas páginas, es mi oración que algunos lleguen a ser grandes ganadores de almas.

¿Quién sabe cuántos encontrarán su camino a la paz por lo que leen? Una pregunta más importante es: ¿Serás tú uno de ellos?

Cierto hombre construyó una fuente junto al camino y colgó cerca de ella una taza con una cadenita. Tiempo después, un conocido crítico de arte encontró defectos en su diseño. Cuando se le habló de las críticas, el hombre que construyó la fuente preguntó: "¿Bebe mucha gente sedienta en la fuente?". Se le dijo que miles de personas pobres, hombres, mujeres y niños satisfacían su sed en esta fuente. El hombre sonrió porque no estaba realmente preocupado por las observaciones del crítico. En cambio, sólo esperaba que el propio crítico, en algún caluroso día de verano, llenara la taza y se refrescara, y alabara el nombre del Señor.

Aquí está mi fuente, y esta es mi taza. Encuentra las fallas si tu quieres, pero por favor bebe del agua de vida. Eso es todo lo que me importa. Prefiero bendecir el alma del mendigo, o del más pobre de los que barren un camino delante de la gente que cruza las sucias calles urbanas a cambio de una gratificación, que complacer a un príncipe de linaje real y no convertirlo a Dios.

¿Eres sincero sobre la lectura de este libro? Si es así, estamos de acuerdo desde el principio. Mi objetivo no es otro que el de que encuentres a Cristo y el cielo. ¡Cómo espero que podamos buscar esto juntos! Lo hago dedicando este pequeño libro con una oración. ¿Te unirás a mí alzando la vista a Dios y pidiéndole que te bendiga mientras lo lees? El cuidado previsor y la guía de Dios han puesto estas páginas en tu camino, y mientras tienes un poco de tiempo libre para leerlas, espero que estés dispuesto a dedicar tu tiempo a la lectura. Esto es una buena señal. ¿Quién sabe qué bendición te llegará por el tiempo que has reservado? En todo caso, *si oís hoy su voz, no endurezcáis vuestros corazones, como en la provocación* (Hebreos 3:15).

Introducción

¿Dónde Estás Tú?

Escuché una historia de un pastor quien llamó a la puerta de la casa de una mujer pobre. El pastor tenía la intención de darle ayuda financiera, porque sabía que ella era muy pobre. Con su dinero en la mano, le tocó la puerta, pero ella no respondió, pensando que ella no estaba en casa se fue por su camino. Un poco más tarde, se encontró con ella en la iglesia y le dijo que se había acordado de su necesidad. "Llamé a tu puerta varias veces", le dijo. "Supuse que no estabas en casa, porque nadie vino a abrir la puerta"

"¿Qué hora era, señor?"

"Era cerca del mediodía"

"Oh, vaya", dijo ella. "Yo escuché, y lamento que no contesté. Pensé que era el dueño de la casa llamando para cobrar el alquiler". Muchos de los que están luchando financieramente entienden lo que esto significa.

Mi deseo es ser escuchado, por lo tanto, quiero decir que no estoy llamando para cobrar el alquiler. Sin duda alguna, el objetivo de este libro no es pedirte nada, sino decirte que la salvación es totalmente por gracia, lo que significa que es gratis, que no te cuesta nada, es sin cobrar.

A menudo, cuando queremos llamar la atención de alguien, tienden a pensar, "Ahora me van a decir todo lo que tengo que hacer. Este hombre tocando a la puerta me va a pedir que dé lo que le debo a Dios. Pero estoy seguro de que no tengo nada con qué pagarle entonces voy a pretender que no estoy en casa."

Este libro no es así. No te exige nada. En cambio, te aporta algo. No vamos a hablar de la ley, el deber y el castigo. No, hablaremos de amor, bondad, perdón, misericordia y vida eterna. Por lo tanto, no actúes como si no estuvieras en casa, no hagas oídos sordos ni tengas un corazón indiferente. No te pido nada en nombre de Dios o del hombre. No es mi intención exigir nada de tus manos. Por el contrario, vengo en nombre de Dios a traerte un regalo gratuito que te traerá una alegría presente y eterna cuando lo recibas.

Abre la puerta y deja que entren mis sinceras súplicas. Ven y razonemos juntos (Isaías 1:18). Dios mismo te invita a un encuentro para hablar de tu felicidad inmediata y la infinita, y Él no haría esto si no tuviera buenas intenciones hacia ti. No rechaces al Señor Jesús que llama a tu puerta, porque llama con una mano que fue clavada en la cruz por personas como tú y yo. Ya que Su único propósito es tu bienestar, acércate y escucha cuidadosamente. Deja que la buena palabra se impregne en tu alma. Puede ser que ha llegado el tiempo de que entres a la nueva vida, la cual es el principio del cielo. La fe viene del oír, y la lectura es una manera de oír (Romanos 10:17). La fe puede venir a ti mientras lees este libro. ¿Por qué no? Oh, Espíritu bendito de toda gracia, haz que así sea.

> *El que beba del agua que yo le daré, no tendrá sed jamás, sino que el agua que yo le daré se convertirá en él en una fuente de agua que brota para vida eterna.* (Juan 4:14).

Capítulo 1

Dios Justifica a Los Impíos

Este mensaje que se encuentra en la carta a los Romanos es para ti. *Más al que no trabaja, pero cree en aquel que justifica al impío, su fe se le cuenta por justicia.* (Romanos 4:5). Llamo tu atención sobre estas palabras: aquel que justifica al impío. ¿No se sorprenden de ver tal expresión en la Biblia: aquel que justifica al impío?

Estas palabras me parecen increíblemente maravillosas, pero en realidad he escuchado personas que odian la doctrina de la cruz quejarse de Dios porque Él salva a hombres malvados y recibe para sí al más vil de los viles. Fíjate como esta escritura claramente acepta la acusación. Por la boca de Su siervo Pablo, con la inspiración del Espíritu Santo, Cristo asume el título de *aquel que justifica al impío*. Justifica a los que son injustos, perdona a aquellos que se merecen ser castigados, y le otorga gracia a aquellos que no se la merecen.

¿Crees que la salvación es sólo para los que son buenos? ¿Que la gracia de Dios es solo para los puros y santos que están libres de pecado? ¿Has olvidado que si fueras espiritualmente digno, Dios ya te habría recompensado? ¿Y has pensado que porque no eres digno, no hay manera de que disfrutes de Su favor? Si es así, te debe parecer algo sorprendente leer un verso como éste: *aquel que justifica al impío.* No es de extrañar que te sorprendas. Incluso con toda mi familiaridad con la inmensa gracia de Dios, nunca deja de sorprenderme. Parece sorprendente pensar que un Dios santo pueda estar dispuesto a justificar a una persona impía, ¿no es así?

Según nuestra dependencia natural de las obras para la salvación, tenemos la tendencia de siempre hablar acerca de nuestra propia bondad y nuestro propio valor. Nos aferramos insistentemente a la idea de que debe haber algo bueno en nosotros para que Dios se fije en nosotros. Pero esto es un engaño, y Dios ve a través de todos los engaños. Él sabe que no hay bondad alguna en nosotros. Él dice *No hay justo, ni aun uno* (Romanos 3:10), y también sabe que *como trapo de inmundicia son todas nuestras obras justas* (Isaías 64:6). Por lo tanto, El Señor Jesús no vino al mundo buscando por aquellos que son justos y buenos, sino para otorgar estas virtudes a aquellos que las necesitan. Él vino, no porque nosotros somos justos, sino para hacernos justos, porque Él es quien justifica a los impíos.

Cuando un abogado entra al tribunal, si es un hombre honesto, deseará defender el caso de un inocente y justificarlo de sus falsas acusaciones ante el tribunal.

El objetivo del abogado debería ser justificar a una persona inocente, y no debería intentar proteger al culpable. La gente no tiene realmente el derecho o el poder de justificar a los culpables. Este es un milagro reservado sólo para Dios.

Dios, el Soberano infinitamente justo, sabe que *no hay hombre justo en la tierra que haga el bien y nunca peque* (Eclesiastés 7:20). Por eso, en la soberanía infinita de su naturaleza divina y el esplendor de su amor indescriptible, Él asume la tarea, no tanto de justificar a los justos, como de justificar a los impíos (Marcos 2:17). Dios ha ideado métodos y recursos para hacer posible que el hombre impío sea justamente aceptado ante Él. Con una justicia perfecta, Él ha establecido un sistema por el cual puede tratar a los culpables como si hubieran vivido libres de ofensa toda su vida. De esta manera, Él puede tratarlos como si estuvieran totalmente libres de pecado. Él justifica a los impíos.

Jesucristo vino al mundo para salvar a los pecadores. Es algo inesperado - una cosa que debe maravillar sobre todo a los que la experimentan. Incluso hasta el día de hoy, para mí es el mayor milagro que he escuchado, que Dios me justifique. Aparte de su amor omnipotente, me siento como un bulto de indignidad, una acumulación de corrupción y un montón de pecados.

Sin embargo, sé sin duda que estoy justificado por la fe en Cristo Jesús. Y a causa de la gracia, se me trata como si hubiera vivido con perfecta rectitud, y se me hace heredero de Dios y coheredero con Cristo. Sin embargo, por nacimiento, debo ocupar mi lugar entre los más pecadores. No lo merezco en absoluto, soy amado con el mismo amor como si siempre hubiera vivido piadosamente, mientras que en tiempos pasados era impío. ¿Quién no se maravillaría ante esto?

La gratitud por esa bondad se viste con ropajes de maravilla. Aunque por un lado esto es sorprendente, fíjate en cómo hace que el evangelio esté disponible para ti y para mí. Si Dios *justifica a los impíos,* entonces puede justificarte a ti. Cuando te miras a ti mismo con sinceridad, ¿no es ese el tipo de persona que eres? Si no has recibido la gracia por medio de la fe, eres un inconverso, *porque por gracia habéis sido salvados por medio de la fe, y esto no de vosotros, sino que es don de Dios;* (Efesios 2:8). *Impío* es una descripción muy apropiada de ti, porque has vivido sin Dios. Has vivido lo contrario de lo piadoso.

Tal vez conozcas un poco a Dios y tengas fe de los labios para afuera, pero no vives para Él. Usas Su Nombre en vano, haces trampa en tus impuestos, o chismeas de otros a sus espaldas. Tal vez incluso vives en la inmoralidad sexual, mientras me dices que amas a Dios.

O, puede que incluso hayas dudado de la existencia de Dios e incluso lo hayas confirmado con tus palabras. Has vivido en esta hermosa tierra llena de evidencias que da a conocer la presencia de Dios, y todo el tiempo, has cerrado los ojos a la clara demostración de Su poder y divinidad. En cambio, has vivido como si no existiera Dios, y te hubiera gustado poder demostrarte a ti mismo con certeza que Él no existe. Puede que hayas vivido de esa manera por muchos años y que ahora estés muy bien acomodado en tus costumbres. Pero Dios no está en ninguno de tus caminos. Si te pones la etiqueta de "impío", la etiqueta encajaría, ¿no?

Es posible que seas otro tipo de persona. Tal vez has participado regularmente en todas las formas externas de la religión, pero tu corazón no está en ellas. Aunque te hayas estado reuniendo con el pueblo de Dios, nunca te has encontrado con Dios a nivel personal. Has estado en el coro y has alabado al Señor con tus labios pero no con tu corazón. Has vivido sin un verdadero amor a Dios en tu corazón o sin tener en cuenta sus mandatos en tu vida diaria. En cambio, has vivido una vida impía. Si alguna de estas opciones te ha parecido cierta, eres justo el tipo de persona a la que se le envía esta buena noticia -este evangelio que dice que Dios *justifica al impío.* Esta buena noticia no sólo es maravillosa, sino que afortunadamente está disponible para ti. Si eres una persona sensible, verás la extraordinaria gracia de Dios en su provisión para una persona como tú, y te dirás a ti mismo: "¡Necesito justificarme, soy impío! ¿Por qué no he de ser hecho justo y justificado inmediatamente?" Con todo mi corazón, ¡desearía que lo aceptaras!

La salvación de Dios es para aquellos que no la merecen y no tienen forma de hacerse a sí mismos lo suficientemente buenos para ello. Esto puede sonar extraño, pero es un argumento razonable porque los únicos que necesitan justificarse son los que no tienen justificación propia. Eso nos incluye a todos. Porque sólo los perfectamente justos no tendrían necesidad de justificarse.

Puede que sientas que estás cumpliendo con tu

obligación religiosa, y que al vivir así casi sientas que el cielo tiene una obligación contigo. Si ese es el caso, ¿qué necesitas con un Salvador o con la misericordia? ¿Qué necesidad tienes de justificación? Si estás viviendo de esta manera, probablemente ya estés cansado de mi libro, porque no sería de interés para ti. Si te permites ser orgulloso de esta manera, escúchame un poco más. En lo que estás confiando no tendrá ninguna importancia en la eternidad, porque cuando tu justicia es todo tu trabajo, o eres un engañador o estás engañado. Estás perdido, tan seguro como que estás vivo, porque la Escritura no puede mentir, y dice claramente *no hay hombre justo en la tierra que haga el bien y nunca peque* (Eclesiastés 7:20).

En cualquier caso, no tengo ningún evangelio que predicar a los justos por cuenta propia. Digo esto porque Jesucristo no vino a llamar a los justos, y yo no voy a hacer lo que Él no hizo. Si te llamara para que aceptes el verdadero evangelio, y crees que ya eres justo, no vendrías. Por lo tanto, no te llamaré por menos de las cualidades morales distintivas de Jesús. No, en lugar de eso te digo que mires esa justicia tuya hasta que veas que es una ilusión. No es ni la mitad de sustancial que una telaraña. Acaba con ella. Huye de ella.

Los únicos que pueden darse cuenta de su necesidad de justificación son aquellos que saben que no pueden lograrlo por sí mismos (Gálatas 2:16). Es algo que debe hacerse por ellos, para hacerlos justos ante el tribunal de Dios (Efesios 2:8). Dios sólo hace lo que es necesario, y en su infinita sabiduría, nunca intenta lo que es innecesario. Para Dios, justificar a una persona que ya es justa, no es trabajo para Él - eso es trabajo de tontos. Pero justificar a una persona injusta - es un trabajo de infinito amor y misericordia. *Justificar al impío* - es un milagro digno de Dios.

Míralo de esta manera. Si un médico descubriera una cura maravillosa, comprobada su eficacia, ¿a quién se enviaría ese médico? ¿Se le enviaría a los que están perfectamente sanos? No lo creo. Si lo mandan a una región donde no hay personas enfermas, no tiene nada que hacer allí. *Los que están sanos no tienen necesidad de médico, sino los que están enfermos* (Marcos 2:17). ¿No está igualmente claro que los grandes remedios de la gracia y la redención son para los enfermos del alma? Estos "remedios" no pueden ser para los que están espiritualmente completos, porque no les servirían de nada.

Si sientes que estás enfermo espiritualmente, el médico (Jesús) ha venido al mundo por ti, *porque el Hijo del Hombre ha venido a buscar y a salvar lo que se había perdido* (Lucas 19:10). Si estás totalmente deshecho a causa de tu pecado, eres esa persona a la que apunta el plan de salvación. Cuando organizó el sistema de gracia, el Dios de amor tenía en mente a personas como tú. Supongamos que un hombre de espíritu generoso decide perdonar a todos los que están en deuda con él. Tiene sentido que esto sólo pueda aplicarse a los que realmente están en deuda con él. Una persona le debe mil dólares, otra le debe cincuenta dólares. Basta con que cada uno tenga su factura marcada como "pagada" para que la responsabilidad quede anulada. Pero aun la persona más generosa no puede perdonar la deuda a aquellos que no le deben nada. Incluso está fuera del poder de la omnipotencia perdonar donde no hay pecado porque no puede haber perdón si no hay pecado. El perdón debe ser para el culpable. El perdón debe ser para el pecador. Es absurdo hablar de perdonar a quien no necesita perdón, de perdonar a quienes nunca han ofendido.

¿Crees que estás condenado a perderte porque eres un pecador? Esta es, de hecho, la razón por la que puedes ser salvado. Porque te confiesas pecador, te animo a creer que la gracia está dirigida a ti y a otros como tú. Uno de los escritores de himnos incluso se atrevió a decir:

Un pecador es algo sagrado;
El Espíritu Santo lo ha hecho así.

Es verdad que Jesús vino *a buscar y a salvar lo que se había perdido* (Lucas 19:10). Murió e hizo una verdadera expiación por los verdaderos pecadores. Si la gente habla en serio cuando se autodenominan "miserables pecadores", me alegra reunirme con ellos. Estoy feliz de hablar toda la noche con pecadores de buena fe, porque las puertas de la misericordia nunca se cierran para esas personas. Nuestro Señor Jesucristo no murió por pecados imaginarios. La sangre de su corazón fue derramada para lavar nuestras profundas manchas carmesí, que nadie más que Él puede quitar. La persona que es pecadora es el tipo de persona que Jesús vino a salvar.

En una ocasión, un predicador predicó un sermón

a partir de Lucas 3:9 *el hacha ya está puesta a la raíz de los árboles.* Lo hizo de tal manera que uno de sus oyentes le dijo: "Uno pensaría que estabas predicando a criminales. Tu sermón debería haber sido predicado en la cárcel del condado".

Oh no, dijo el predicador. "Si estuviera predicando en la cárcel del condado, no predicaría a partir de ese texto. Predicaría a partir de éste: *Palabra fiel y digna de ser aceptada por todos: Cristo Jesús vino al mundo para salvar a los pecadores*" (1 Timoteo 1:15). La ley es para los santurrones, para humillar su orgullo. El evangelio es para los perdidos, para eliminar su desesperación.

Si no estás perdido, ¿qué quieres con un Salvador? ¿Debe ir el pastor detrás de las ovejas que nunca se han extraviado? ¿Por qué la mujer buscaría en su casa por los restos de dinero que nunca salieron de su bolso? No, la medicina es para los enfermos. El hacer vivir es para los muertos. El perdón es para los culpables, y la liberación es para los que están atados. La apertura de ojos es para los ciegos. ¿Cómo puede explicarse el Salvador, su muerte en la cruz y el evangelio del perdón, a menos que se base en la creencia de que los hombres son culpables y dignos de condenación? El pecador es la razón de ser del evangelio.

Amigo, esta es la palabra que viene a través de las páginas de este libro, si eres merecedor o no del infierno, si lo eres, entonces eres la clase de persona para la que el evangelio está pensado, dispuesto y proclamado. *Dios justifica a los impíos.*

Quiero dejar esto muy claro y espero haberlo hecho ya. Pero, aun así, tan sencillo como es, es solo Dios quien puede hacer que una persona vea. Al principio, parece muy sorprendente que la salvación pueda ser realmente para una persona perdida y culpable. Pensamos que debe ser para el que está arrepentido, olvidando que el arrepentimiento es una parte de la salvación. Tal persona piensa, "Debo limpiar mi vida y hacer esto y aquello." Todo esto es cierto, porque su vida cambiará de esa manera como resultado de la salvación, pero la salvación llega antes de que se tenga alguno de los resultados de la salvación. Llega mientras sólo merece esta descripción desnuda, mendiga, vil, abominable, impía. Cuando el evangelio de Dios viene a justificarlo, eso es todo lo que es.

Por lo tanto, exhorto a todos los que leen esto y que reconocen que no tienen nada bueno en ellos -que temen no tener ni siquiera un buen sentimiento o algo que pueda hablar bien de ellos ante Dios- a que crean firmemente que nuestro bondadoso Dios es capaz y está dispuesto a tomarlos sin nada que los recomiende y a perdonarlos libremente, no porque sean buenos, sino porque Él es bueno. ¿Acaso no hace brillar su sol tanto sobre los malos como sobre los buenos? ¿No nos da estaciones fructíferas y envía la lluvia y el sol a su tiempo sobre las naciones más impías? Incluso Sodoma tuvo su sol y Gomorra su rocío.

La gran gracia de Dios supera cualquier cosa que tú o yo podamos concebir. Tan altos como los cielos están sobre la tierra, así de altos son los pensamientos de Dios sobre nuestros pensamientos (Isaías 55:8-9). Él puede perdonar abundantemente. Jesucristo vino al mundo para salvar a los pecadores. El perdón es para los culpables. No intentes retocar tus defectos y tratar de parecer algo distinto de lo que realmente eres. En lugar de eso, acude a *Aquel que justifica al impío* tal y como eres.

Hace poco tiempo, un gran artista pintó una parte de la ciudad en la que vivía. Por motivos históricos, quiso incluir en su cuadro a ciertos personajes bien conocidos en la ciudad. Un barrendero de porte desaliñado, harapiento y mugriento era conocido por todos y había un lugar adecuado para él en el cuadro. El artista le dijo a este individuo harapiento y mugriento: "Te pagaré bien si vienes a mi estudio y me dejas pintar tu imagen". El barrendero que limpiaba la calle se presentó por la mañana, pero fue enviado rápidamente a sus asuntos porque se había lavado la cara, se había peinado y se había puesto un traje respetable. Para esta obra de arte, se le necesitaba como barrendero y no se le invitó en ninguna otra calidad. De la misma manera, el evangelio te recibirá en sus salones si vienes como pecador, no de otra manera. No esperes hasta cambiar tu forma de ser, sino ven inmediatamente a la salvación. Dios *justifica al impío* y te acepta dónde estás ahora. Su justificación te puede encontrar en tu peor condición.

Ven en tu estado desaliñado. Es decir, ven a tu Padre celestial en todo tu pecado y tu pecaminosidad. Ven a Jesús tal como eres; leproso, sucio, desnudo, no apto para vivir ni para morir. Ven, tú que eres la basura de la creación. Aunque apenas te atrevas a esperar nada más que la muerte, ven a Él. Aunque una nube de pesada desesperación se cierne sobre ti, presionándote como una horrible pesadilla, ven y pídele al Señor que justifique a un impío más: tú. ¿Por qué no lo haría? Esta gran misericordia de Dios está destinada a personas como tú.

Lo pongo en el lenguaje directo de la Biblia porque no puedo decirlo con más fuerza. El propio Señor Dios asume este título de gracia, el que justifica a los impíos. A aquellos que por naturaleza son impíos, Él los hace justos y hace que sean tratados como justos. ¿No es una noticia maravillosa? No postergues esta decisión hasta que hayas tomado tiempo para considerar este asunto.

Capítulo 2

Dios Es El que Justifica

Qué cosa tan maravillosa es esto de ser justificado -perdonado y limpio de culpa. Si nunca hubiéramos infringido las leyes de Dios, no necesitaríamos ser justificados porque seríamos justos en nosotros mismos. La persona que ha hecho las cosas bien y como debía toda su vida y nunca ha hecho nada que no deba hacer es justificado por la ley. Pero estoy muy seguro de que no eres esa persona. Tienes demasiada honestidad para pretender estar sin pecado y como resultado necesitas justificarte. Sin embargo, si intentas justificarte, simplemente te estarás engañando. Por lo tanto, no lo intentes. No vale la pena.

Si pides a otras personas que te justifiquen, ¿qué pueden hacer? Puedes hacer que algunos hablen bien de ti a cambio de un pequeño favor, y otros van a hablar mal de ti por mucho menos de eso. Su juicio no vale mucho.

Nuestro texto dice, *Dios es el que justifica*, esto es

mucho más importante. Es un hecho asombroso, que debemos considerar cuidadosamente. En primer lugar, a nadie más que a Dios se le ocurriría justificar a los culpables. Han vivido en abierta rebeldía y han cometido el mal con ambas manos. Han ido de mal en peor y han vuelto al pecado incluso después de que les doliera y se vieran obligados a dejarlo por un tiempo. Han roto la ley y han pisoteado el evangelio. Han rechazado las declaraciones de misericordia y han persistido en la impiedad. ¿Cómo pueden ser perdonados y justificados?

Las personas a su alrededor miran esto y dicen sombríamente: "Son casos perdidos". Incluso los cristianos los miran con pena y no con esperanza. Pero no es así como los ve su Dios. Él eligió a algunos de ellos antes de la fundación del mundo, y en el esplendor de su gracia electiva no descansará hasta que los haya justificado y hecho que sean aceptados en el amado. Está escrito, *y a los que predestinó, a esos también llamó; y a los que llamó, a esos también justificó; y a los que justificó, a esos también glorificó* (Romanos 8:30). Cuando lo miras de esta manera, ves que hay algunos a los que el Señor está de acuerdo en justificar. ¿Por qué no habríamos de estar tú y yo entre ellos?

Nadie más que Dios habría pensado en justificarme. Me maravilla a mí mismo y no dudo que otros vean la gracia en otros de manera similar. Consideremos a Saulo de Tarso[1], que nació de padres judíos que poseían la ciudadanía romana. Estudió la ley judía con el famoso rabino Gamaliel y más tarde trabajó contra los siervos de Dios para destruir la iglesia primitiva. Entró en las

1 Hechos 9

casas de los creyentes y los encarceló. Como un lobo hambriento, preocupaba a los corderos y a las ovejas en todo momento, pero Dios lo abatió en el camino a Damasco cuando se dirigía a arrestar a los creyentes allí. Dios cambió su corazón en ese camino, y lo justificó tan plenamente que en poco tiempo se convirtió en el mayor predicador de la justificación por la fe que jamás haya existido.

Saulo de Tarso cambió su nombre del hebreo Saulo a su nombre gentil Pablo y fue enviado por Dios a los gentiles con las buenas nuevas. A menudo debió maravillarse de haber sido justificado por la fe en Cristo Jesús, porque antes era un decidido partidario de la salvación por las obras de la ley. Nadie más que Dios habría pensado en justificar a un hombre como Saulo el perseguidor, pero el Señor Dios es glorioso en la gracia.

Incluso si alguien pensara en justificar al impío, nadie más que Dios podría hacerlo, porque es imposible que una persona perdone ofensas que no se han cometido contra ella. Sí, puedes perdonar a una persona que te ha ofendido de alguna manera, y espero que lo hagas, pero ninguna tercera persona puede ir a perdonar al ofensor, sólo el ofendido. Si el mal te lo han hecho a ti, el perdón debe venir de ti. Sin embargo, todo pecado es contra Dios, y si hemos pecado contra Dios, está en el poder de Dios perdonar porque el pecado es contra Él. Por eso en el Salmo 51:4 David dice: *Contra ti, contra ti solo he pecado, y he hecho lo malo delante de tus ojos,* Dios puede perdonar la ofensa, porque es en contra de Él que se comete la ofensa.

Si le agrada, nuestro gran Creador puede perdonar

la deuda que tenemos con Dios. Y si Él la perdona, queda anulada. Nadie más que el gran Dios contra el que pecamos puede borrar ese pecado. Por lo tanto, asegurémonos de ir a Él y buscar misericordia en sus manos y no dejarnos llevar por aquellos que quieren que nos confesemos con ellos en lugar de con Dios. No tienen ninguna autoridad en la Palabra de Dios para sus afirmaciones. Incluso si fueran designados para declarar la absolución en nombre de Dios, sigue siendo mejor ir directamente al gran Señor a través de Jesucristo, el Mediador, para buscar y encontrar el perdón de su mano. Es mejor ocuparse de los asuntos de tu alma tú mismo, que dejarlos en manos de algún hombre.

Sólo Dios puede justificar al impío, pero lo hace a la perfección. Él echa nuestros pecados a sus espaldas. Los borra, y dice que aunque se busquen, no se encontrarán (Isaías 43:25). Sin otra razón que Su propia bondad infinita, Él ha preparado un camino glorioso por el cual hace que los pecados de color escarlata sean blancos como la nieve (Isaías 1:18), y aleja nuestras transgresiones de nosotros tan lejos como el oriente está del occidente (Salmo 103:12). Dice: "*Nunca más me acordaré de sus pecados*" (Hebreos 8:12). Él hace todo lo necesario para acabar con el pecado. Uno de los antiguos profetas exclamó asombrado: ¿Quién es un Dios como Tú, que perdona la iniquidad y pasa por alto el acto rebelde del resto de su posesión? No retiene su ira para siempre, porque se deleita en un amor inmutable (Miqueas 7:18).

Ahora no estamos hablando de justicia, ni de que

Dios trate a los hombres según sus recompensas. Si aceptas tratar con el Señor justo en los términos de la ley, te amenaza la ira eterna, porque según la ley, eso es lo que mereces. *No nos ha tratado según nuestros pecados, ni nos ha pagado conforme a nuestras iniquidades.* (Salmo 103:10), sino que ahora nos trata en términos de gracia gratuita y compasión infinita. Dice: *Yo sanaré su apostasía, los amaré generosamente* (Oseas 14:4).

Créelo. Es cierto y verdadero que el gran Dios es capaz de tratar a los culpables con abundante misericordia. Es capaz de tratar a los impíos como si siempre hubieran vivido piadosamente. Lee atentamente la parábola del hijo pródigo (Lucas 15:11-32), y verás cómo el padre perdonador recibió al vagabundo que regresaba con tanto amor como si nunca se hubiera ido y nunca se hubiera contaminado con rameras. La misericordia que mostró fue tan grande que el hermano mayor empezó a refunfuñar por ello. Pero el padre nunca dejó de amarlo.

Mi querido lector, no importa lo culpable que seas, si simplemente te acercas a Dios nuestro Padre por la fe en Jesucristo, Él te tratará como si nunca hubieras hecho mal. ¿Ves qué cosa tan maravillosa es que Dios piense en justificar al impío? ¿Qué dices?

De nuevo, quiero dejar esto muy claro. Nadie más que Dios puede hacer esto, y Él todavía lo hace. Mira como el apóstol Pablo pone la pregunta: ¿Quién acusará a los escogidos de Dios? Dios es el que justifica. (Romanos 8:33). Si Dios ha justificado a una persona, lo ha hecho completamente, lo ha hecho correctamente, lo ha hecho imparcialmente y lo ha hecho eternamente.

Leí una declaración escrita en una revista contra el evangelio y los que lo predican. Afirmaba que los cristianos sostienen algún tipo de teoría por la cual imaginamos que el pecado puede ser eliminado de las personas. Seamos claros. No sostenemos ninguna teoría; declaramos un hecho. El hecho más grande bajo el cielo es éste: que Cristo, por Su preciosa sangre, realmente elimina el pecado, y Dios, por causa de Cristo, trata a las personas con misericordia divina. Perdona a los culpables y los justifica, no según lo que ve en ellos, o prevé que habrá en ellos, sino según las riquezas de su misericordia que hay en su propio corazón (Efesios 2:7). Esto hemos predicado, predicamos y predicaremos mientras vivamos. *Dios es el que justifica* (Romanos 8:33), el que *justifica al impío.* Él no se avergüenza de hacerlo, ni nosotros de predicarlo.

La justificación que viene de Dios es incuestionable. Si el juez me absuelve, ¿quién puede condenarme? Si el más alto tribunal del universo me ha declarado justo, ¿quién puede acusarme de algo? ¿Quién es el que condena? *Cristo Jesús es el que murió, sí, más bien el que resucitó, el que está a la derecha de Dios, el que también intercede por nosotros* (Romanos 8:34). La justificación de Dios es una respuesta suficiente para una conciencia despierta. El Espíritu Santo infunde paz sobre toda nuestra naturaleza, y ya no tenemos miedo. Con esta justificación, podemos responder a todos los gritos e insultos de Satanás y de la gente impía. Con esto, podremos morir y resucitar con valentía, y enfrentar el último gran juicio - no culpable.

Me pondré de pie con valentía en ese gran día:

Porque ¿quién debería acusarme?
Mientras que por mi Señor estoy absuelto
De la tremenda maldición y culpa del pecado.
– Zinzendorf[2]

El Señor puede borrar todos tus pecados. No estoy haciendo un tiro en la oscuridad cuando digo esto porque la Palabra de Dios dice: *todo pecado y blasfemia será perdonado a los hombres* (Mateo 12:31). Aunque estés metido hasta el cuello en el crimen, con una palabra Él puede quitar la contaminación del pecado, y decir: *Quiero; sé limpio.* (Mateo 8:3). El Señor es un gran perdonador.

"Creo en el perdón de los pecados[3]". ¿Lo crees tú?

Él puede incluso en este momento declarar: *Tu fe te ha salvado; vete en paz* (Lucas 7:50), y si hace esto, ningún poder en el cielo o en la tierra, o bajo la tierra, puede ponerte bajo sospecha, y mucho menos bajo la ira. No dudes del poder del amor omnipotente. No podrías perdonar a tus semejantes si te ofendieran como has ofendido a Dios, pero no midas a Dios por ti mismo. Sus pensamientos y caminos están muy por encima de los tuyos, como los cielos están muy por encima de la tierra (Isaías 55:8-9).

Podrías decir: "Sería un gran milagro que el Señor me perdonará". Tienes razón. Sería un milagro absoluto, y por eso es probable que Él lo haga, porque hace *cosas grandes e inaccesibles, que tú no conoces* (Jeremías 33:3).

En mi caso, tenía un sentimiento de culpa tan horrible

2 Charles B. Snepp, ed., *Cantos de gracia y gloria para el culto privado, familiar y público* (Londres: W. Hunt & Co., 1872).

3 El Credo de los Apóstoles.

que me hacía la vida imposible. Pero cuando escuché la orden, *Volveos a mí y sed salvos, todos los términos de la tierra; porque yo soy Dios, y no hay ningún otro* (Isaías 45:22). Le miré y en un momento el Señor me justificó. Cuando le miré a Él, vi al Señor Jesucristo hecho pecado por mí y esa visión de hizo descansar (Mateo 11:28).

Cuando los que fueron mordidos por las serpientes ardientes en el desierto miraron a la serpiente de bronce, fueron curados inmediatamente (Números 21:9). Así fue cuando miré al Salvador crucificado. El Espíritu Santo, que me permitió creer, me dio la paz a través de la creencia. Antes de esto, me sentía condenado, pero una vez que creí, supe sin duda que estaba perdonado, porque la Palabra de Dios así lo declaraba. Había sentido que mi condena era segura, y mi conciencia estaba de acuerdo. Pero cuando el Señor me justificó, estuve igual de seguro por la misma prueba. La Palabra de Dios en la Escritura dice: *El que cree en Él no es juzgado* (Juan 3:18), y mi conciencia da testimonio de que creí y de que Dios, al perdonarme, es justo. En consecuencia, tengo el testimonio del Espíritu Santo y de mi propia conciencia, y estos dos están de acuerdo (Romanos 9:1). Oh, cómo desearía que recibieras la declaración de Dios sobre ti en este asunto, e inmediatamente tendrías el testimonio en ti mismo también.

Me atrevo a decir que un pecador justificado por Dios se encuentra en una posición más segura que un justo que es justificado por sus obras, si es que pudiera existir tal persona. Porque nunca podemos estar seguros de si hemos hecho suficientes obras, y nuestra conciencia siempre estará inquieta preguntándose si nos hemos quedado cortos. Sólo tenemos el veredicto inestable del juicio humano para confiar, pero cuando Dios justifica y el Espíritu Santo da testimonio, eso nos da paz con Dios. Por eso podemos sentir que el asunto está seguro y resuelto, y *entramos en ese descanso* (Hebreos 4:3). Ninguna lengua puede explicar la profundidad de esa calma que llega al alma que recibe la paz de Dios que sobrepasa todo entendimiento (Filipenses 4:7).

Capítulo 3

El Justo Y El Justificador

Hemos visto a los impíos justificados y hemos considerado la gran verdad de que sólo Dios puede justificar a cualquier persona. Ahora daremos un paso más y preguntaremos, ¿cómo puede un Dios justo justificar a personas culpables? Podemos encontrar la respuesta en las palabras de Pablo en Romanos 3:21b-26: *la justicia de Dios ha sido manifestada, atestiguada por la ley y los profetas; es decir, la justicia de Dios por medio de la fe en Jesucristo, para todos los que creen; porque no hay distinción; por cuanto todos pecaron y no alcanzan la gloria de Dios, siendo justificados gratuitamente por su gracia por medio de la redención que es en Cristo Jesús, a quien Dios exhibió públicamente como propiciación por su sangre a través de la fe, como demostración de su justicia, porque en su tolerancia, Dios pasó por alto los pecados cometidos anteriormente, para demostrar en este tiempo su justicia, a fin de que Él sea justo y sea el que justifica al que tiene fe en Jesús*

Ahora, si me permiten, quiero compartir con ustedes un poco de mi experiencia personal. Mientras estaba bajo la mano del Espíritu Santo, fui convencido de pecado. Tuve un sentido claro y agudo de la justicia de Dios. El pecado, sea lo que sea para otras personas, se convirtió en una carga intolerable para mí. No era tanto que temiera el infierno, sino que temía al pecado. Sabía que era terriblemente culpable y sentía que si Dios no me castigaba por el pecado, debía condenar un pecado como el mío.

Me senté en el tribunal y me condené a muerte. Admití que si yo fuera Dios, no podría hacer otra cosa que enviar a una criatura tan culpable como yo al infierno más bajo. Mientras pasaba por esto, también tenía en mi mente una profunda preocupación por el honor del nombre de Dios y la integridad de su liderazgo moral. No le sentaba bien a mi conciencia que se me perdonará injustamente. El pecado que había cometido tenía que ser castigado. Luché con la pregunta de cómo Dios podía ser justo y, sin embargo, justificarme a mí, el culpable. En mi corazón, me preguntaba: "¿Cómo puede ser justo y a la vez justificador?". Me preocupaba y cansaba esta pregunta y no podía ver ninguna respuesta a ella. Ciertamente, nunca podría haber inventado una respuesta que dejara satisfecha mi conciencia.

A mi modo de ver, la doctrina de la expiación es una de las pruebas más seguras de la inspiración divina de las Sagradas Escrituras. Para mis lectores que no saben lo que es la doctrina de la expiación, es que Cristo Jesús murió en la cruz por nuestros pecados (1 Corintios 15:3). De esta manera, Él cumplió con el sistema de sacrificios del antiguo pacto y restauró nuestra relación con Dios y cambió nuestras vidas para siempre. ¿Quién habría pensado o podría pensar que el gobernante justo muriera por el rebelde injusto? Esto no es una enseñanza de la mitología humana o una fantasía de la imaginación poética. Este acto de expiación de un crimen -de satisfacción de una ofensa por la que se elimina la culpa y se cancela la obligación de la persona ofendida de ser castigada por el crimen - sólo se conoce porque es un hecho. La ficción nunca podría haberla concebido, porque Dios mismo la ordenó.

Yo había oído el plan de salvación por el sacrificio de Jesús desde que era un joven, pero en lo más íntimo de mi alma no entendía ni sabía más de ello que si hubiera nacido y crecido como un salvaje incrédulo. La luz de la verdad estaba allí en las Escrituras, pero yo estaba ciego. Necesitaba que el Señor me aclarara el asunto. Cuando lo hizo, me llegó como una nueva revelación, tan fresca como si nunca hubiera leído que Jesús fue declarado la propiciación o expiación de los pecados para que Dios pudiera ser justo.

Todo hijo de Dios recién nacido recibe tal revelación - esa gloriosa doctrina de la sustitución del Señor Jesús. Llegué a comprender que la salvación era posible a través del sacrificio sustitutivo y que la provisión para tal sustitución había sido hecha en el Hijo de Dios - el co-igual y co-eterno con el Padre. Desde el principio se le había hecho la cabeza prometida de un pueblo elegido para que pudiera sufrir por ellos y salvarlos. Considerando que nuestra caída de los caminos de Dios no fue personal en el principio, porque el pecado comenzó con nuestro representante ancestral, el primer Adán, entendemos que por un segundo representante, Jesús, se hizo posible que fuéramos recuperados -salvados del pecado- porque Él aceptó ser la Cabeza del pacto de su pueblo, ser su segundo Adán. *Así también está escrito: El primer hombre, Adán, fue hecho alma viviente. El último Adán, espíritu que da vida* (1 Corintios 15:45). Vi que antes de pecar realmente tenía una naturaleza caída y espiritualmente muerta por el pecado de mi primer padre, y me alegré de que fuera posible -basado en los hechos y la evidencia de las Escrituras- que yo cobrara vida a través de una segunda Cabeza y representante. La caída de Adán dejó un hueco de escape. Otro Adán -el último Adán- puede deshacer la ruina causada por el primero. Mientras me angustiaba la posibilidad de que un Dios justo me perdonara mi pecado, comprendí y vi por fe que este último Adán es Jesús, el Hijo de Dios que se hizo hombre. En su cuerpo bendito, Él llevó mi pecado en la cruz. El castigo que yo merecía, *porque la paga del pecado es la muerte* (Romanos 6:23), recayó sobre Él. Fui sanado a través de Su aflicción porque *la dádiva de Dios es vida eterna en Cristo Jesús Señor nuestro* (Romanos 6:23).

Eso es lo que Dios me mostró. ¿Lo has visto alguna vez? ¿Has entendido alguna vez cómo Dios puede ser completamente justo, no cancelar o disminuir la pena, sino ser infinitamente misericordioso y aún así poder justificar a los impíos que se dirigen a Él? Es posible porque el Hijo de Dios, supremamente glorioso en su inigualable persona, me vindicó cumpliendo la ley al cargar con la pena que me correspondía. Por lo tanto,

Dios puede pasar por alto mi pecado. La ley de Dios fue más sostenida por la muerte de Cristo que si todos los pecadores fueran enviados al infierno. El hecho de que el Hijo de Dios sufriera por el pecado fue un establecimiento más glorioso de la autoridad de Dios que el hecho de que toda la raza humana sufriera.

Jesús soportó la pena de muerte por nosotros. ¿Ves la maravilla de esto? Míralo colgado en la cruz. Si puedes verlo, verás el espectáculo más significativo que jamás hayas visto. El Hijo de Dios y el Hijo del Hombre colgados en una sola persona soportando un dolor indecible *-el justo por el injusto-* para llevarnos a Dios (1 Pedro 3:18).

Oh, la gloria de esa vista. El inocente castigado. El Santo condenado. El siempre bendito convertido en maldición. El infinitamente glorioso sometido a una muerte vergonzosa en mi lugar, en tu lugar. Cuanto más observo los sufrimientos del Hijo de Dios, más seguro estoy que se ajustan a mi caso. ¿Por qué sufrió, si no fue para apartar de nosotros la pena del pecado? Por lo tanto, si la apartó con su muerte, entonces está fuera del camino. Los que creen en Él ya no tienen que temerlo, porque desde que se hizo la expiación, Dios puede perdonar sin hacer temblar los cimientos de Su trono ni empañar la ley en lo más mínimo. La tremenda cuestión planteada por nuestra conciencia queda satisfecha.

La ira de Dios contra el pecado es más terrible de lo que podemos comprender, sea cual sea nuestro pecado. Moisés lo dijo muy bien, ¿Quién conoce el poder de tu ira? (Salmo 90:11). Sin embargo, cuando oímos el clamor del Señor de la gloria, ¿Por qué me has abandonado? (Mateo 27:46) y lo vemos entregar el espíritu, sentimos la justicia de Dios abundantemente vindicada por la obediencia de una muerte tan perfecta y terrible dada por una persona tan divina. Si Dios mismo se inclina ante su propia ley, ¿qué más se puede hacer? Hay más en la expiación como método de mérito, que en todo el pecado humano para merecer la culpa o el castigo.

El gran abismo de la abnegación amorosa de Jesús puede tragarse las montañas de nuestros pecados, todos ellos. Por el bien infinito de este único Hombre representativo, Dios puede mirar con buenos ojos a otras personas, por indignas que sean. Es un milagro de milagros que el Señor Jesucristo se ponga en nuestro lugar y que "Él llevó en sí, para que nosotros nunca tuviéramos que llevar en nosotros, la justa ira del Todopoderoso".[4]

Pero Él lo ha hecho. ¡Consumado es! (Juan 19:30). Dios perdonará al pecador porque no perdonó a Su Hijo. Dios puede pasar por encima de tus pecados porque Él cargó esos pecados sobre Su Hijo unigénito hace casi dos mil años. Si usted cree en Jesús (ese es el punto), entonces sus pecados fueron llevados por Él como el chivo expiatorio para Su pueblo.

¿Qué es creer en Él? Es más que decir: "Él es Dios y el Salvador". Significa que debemos confiar en Él total y completamente. Debes aceptarlo para toda tu salvación desde este momento y para siempre como tu Señor, tu Maestro, tu todo. Si aceptas a Jesús, Él ya te ha

---

4 John Nelson Darby, ed., *Himnos para el rebaño pequeño* (Oak Park, IL: Bible Truth Publishers, 1881), Sección 3.

aceptado. Si crees en Él, no puedes ir al infierno, porque eso haría que el sacrificio de Cristo no tuviera efecto. No puede ser que se acepte un sacrificio y luego el alma por la que se ha recibido ese sacrificio siga muriendo.

Si el alma creyente pudiera seguir siendo condenada, entonces ¿por qué un sacrificio? Si Jesús murió en mi lugar, ¿por qué debería morir yo también? Todo creyente puede afirmar que el sacrificio se hizo realmente por él. Se ha apoderado de él por la fe y lo ha hecho suyo. Como resultado, puede saber con certeza que nunca podrá perecer. Dios no recibiría esta ofrenda en nuestro nombre y luego nos condenaría a morir. Dios no puede leer nuestro perdón escrito en la sangre de su Hijo y luego apartarnos. Eso sería imposible. Mi oración es que aceptes la gracia que se te ofrece inmediatamente y mires a Jesús, para empezar por el principio - a la fuente de misericordia para el hombre culpable - Jesús.

Él *justifica a los impíos. Dios es el que los justifica*, y por eso sólo puede llevarse a cabo mediante el sacrificio expiatorio de su divino Hijo. En consecuencia, puede ser justamente hecho - tan justamente hecho que nadie lo cuestionará jamás. Tan completamente hecho que en el último día, cuando el cielo y la tierra pasen, no habrá nadie que niegue la validez de la justificación. ¿Quién es el que condena? Cristo Jesús es el que murió, sí, más aún, el que resucitó, el que además está a la diestra de Dios, el que también intercede por nosotros. (Romanos 8:34).

¿Vendrás a este bote salvavidas, tal como estás? Ofrece seguridad frente al naufragio. Acepta la liberación indiscutible. Dices: "No tengo nada conmigo", pero no se te pide que traigas nada contigo. La gente que escapa para salvar su vida deja incluso su ropa. Salta a la salvación tal como estás.

Te cuento esto sobre mí para animarte. Mi única esperanza de ir al cielo radica en la plena expiación hecha en la cruz del Calvario por los impíos. Confío firmemente en eso. No tengo ni una sombra de esperanza en ningún otro lugar. Tú estás en la misma condición que yo. Ninguno de nosotros tiene nada propio que valga un poco de confianza. Unamos nuestras manos y permanezcamos juntos al pie de la cruz, y confiemos nuestras almas inmediata y completamente a Aquel que derramó Su sangre por los culpables. Seremos salvados por un mismo Salvador. ¿Qué más puedo hacer para demostrar mi propia confianza en el evangelio que les presento?

Capítulo 4

Acerca De La Liberación Del Pecado

En este punto, quiero hablar claramente a aquellos que entienden el método de Dios de justificación por la fe en Cristo Jesús, pero que todavía luchan con el pecado en sus vidas. Nunca podremos ser felices, tranquilos o espiritualmente sanos hasta que seamos santos. Para ser santos, debemos librarnos del pecado, pero ¿cómo podemos lograr esta tarea imposible?

Esta es la pregunta de vida o muerte de muchas personas. La vieja naturaleza es muy fuerte, y es posible que hayas tratado de frenarla y domarla sólo para descubrir que no se somete. Estás ansioso por hacerlo mejor pero sólo terminas haciéndolo peor. El corazón es tan duro, la voluntad es tan obstinada, las pasiones tan furiosas, los pensamientos tan volátiles, la imaginación tan fuera de control, y los deseos tan salvajes, que sientes que tienes una guarida de bestias salvajes dentro de ti, que te comerán antes que ser gobernado por el Señor.

Podemos decir de nuestra naturaleza caída lo que el Señor dijo a Job respecto al gran monstruo marino Leviatán: ¿Jugarás con él como con un pájaro, o lo atarás para tus doncellas? (Job 41:5). Un hombre podría esperar tanto sostener el viento del norte en el hueco de su mano como esperar controlar esos poderes rebeldes que yacen dentro de su naturaleza caída por su propia fuerza. Esta es una hazaña mayor que cualquier otra realizada por la fuerza del legendario Hércules. Para ello, se necesita a Dios.

Uno podría decir: "Creo que Jesús perdonará el pecado, pero mi problema es que vuelvo a pecar. Dentro de mí, siento esas horribles tendencias a hacer el mal. Tan cierto como que una piedra lanzada al aire vuelve a caer rápidamente al suelo, así soy yo con el pecado. Porque, aunque la predicación sincera me hace subir al cielo, vuelvo de nuevo a mi estado de dureza de corazón. Lamentablemente, me fascina fácilmente el pecado. Es como si estuviera preso de un hechizo del que no puedo escapar de mi propia insensatez".

Si esta es su lucha, anímese. La salvación estaría tristemente incompleta si no se ocupara de esta parte de nuestra condición arruinada. Queremos ser purificados y perdonados. La justificación (ser hecho justo) sin la santificación (llegar a ser santo) no sería salvación en absoluto. Sería como llamar a un leproso limpio y dejarlo morir de su enfermedad. Perdonaría la rebelión y permitiría que el rebelde siguiera siendo un enemigo de su rey. Eliminaría las consecuencias pero pasaría por alto la causa, y esto nos dejaría con una tarea interminable y sin esperanza. Detendría la corriente del pecado por un tiempo, pero dejaría una fuente abierta de contaminación, que tarde o temprano estallaría con mayor poder.

Recuerda que el Señor Jesús vino a quitar el pecado de tres maneras. Vino a quitar la pena del pecado, el poder del pecado y la presencia del pecado. Usted puede alcanzar la segunda parte inmediatamente. El poder del pecado puede ser roto de inmediato, y entonces usted estará en el camino hacia la tercera parte - la eliminación de la presencia del pecado. *Sabemos que Él apareció para quitar los pecados* (1 Juan 3:5).

El ángel dijo de nuestro Señor, *y le pondrás por nombre Jesús, porque Él salvará a su pueblo de sus pecados* (Mateo 1:21). Nuestro Señor Jesús vino a destruir en nosotros las obras del Diablo. Lo mismo que se declaró en el nacimiento de nuestro Señor se declaró también en Su muerte. Cuando el soldado le atravesó el costado, salió un flujo de sangre y agua, lo que aclaró la doble curación por la que somos liberados de la culpa y la contaminación del pecado.

Sin embargo, si estás preocupado por el poder del pecado en tu vida y las tendencias de tu naturaleza, como bien puedes estarlo, aquí hay una promesa para ti. Ten fe en esta promesa, porque está fundada en ese pacto de gracia que es seguro. Dios, que no puede mentir, ha dicho, *os daré un corazón nuevo y pondré un espíritu nuevo dentro de vosotros; quitaré de vuestra carne el corazón de piedra y os daré un corazón de carne* (Ezequiel 36:26).

Como ves, *es todo lo que quiero, y pongo. Yo daré y quitaré.* Este es el estilo real del Rey de Reyes, que es capaz de cumplir su voluntad. Ninguna palabra suya caerá jamás en tierra (1 Samuel 3:19).

Dios sabe muy bien que no puedes cambiar tu propio corazón, y que no puedes limpiar tu propia naturaleza. Pero también sabe que Él puede hacer ambas cosas. Él puede hacer que el etíope cambie su piel, y el leopardo sus manchas. Escucha esto y asómbrate: Él puede crearte por segunda vez. Puede hacer que nazcas de nuevo. Esto es un milagro de la gracia, y el Espíritu Santo lo realizará. Sería algo milagroso si una persona pudiera pararse al pie de las cataratas del Niágara y decir algo que hiciera que el río Niágara comenzara a correr río arriba y enviara ese torrente de agua saltando de vuelta a ese gran precipicio por el que ahora rueda con una fuerza estupenda. Nada más que el poder de Dios podría lograr tal maravilla.

Este ejemplo de las cataratas del Niágara ofrece un paralelismo adecuado con lo que ocurre si se invierte totalmente el curso de tu naturaleza. Todo es posible con Dios. Él puede invertir la dirección de tus deseos y la corriente de tu vida. En lugar de ir hacia abajo - lejos de Dios - Él puede hacer que todo tu ser tenga una tendencia a fluir hacia Dios. De hecho, eso es lo que el Señor ha prometido hacer para todos los que están en el pacto. Sabemos por las Escrituras que todos los creyentes están en el pacto. Permítanme compartir las palabras de nuevo: *Yo les daré un solo corazón y pondré un espíritu nuevo dentro de ellos. Y quitaré de su carne el corazón de piedra y les daré un corazón de carne,* (Ezequiel 11:19).

Qué promesa tan maravillosa. Cristo Jesús está de acuerdo con ella, y nosotros podemos decir "amén" para gloria de Dios. Aferrémonos a ella, aceptémosla como verdadera y adoptémosla para nosotros. Entonces se cumplirá en nosotros, y en los días y años venideros, podremos cantar ese maravilloso cambio que la gracia soberana de Dios ha obrado en nosotros.

Considera esto. Cuando el Señor quita el corazón de piedra, ese acto está hecho. Una vez hecho esto, ningún poder conocido puede quitar el nuevo corazón que Él da y el espíritu correcto que Él pone dentro de nosotros. *Porque los dones y el llamamiento de Dios son irrevocables* (Romanos 11:29). Esto *es irrevocable* por parte de Él. Él no cambiará de opinión. Él no quita lo que ya ha dado. Deja que Él te renueve, y serás renovado. Las resoluciones de la gente para cambiar y sus esfuerzos para limpiar sus vidas pronto llegan a su fin, *porque como un perro que vuelve a su vómito es un tonto que repite su locura* (Proverbios 26:11). Pero cuando Dios pone un corazón nuevo en nosotros, es un corazón nuevo en toda su extensión.

Para decirlo de forma sencilla, ¿han oído alguna vez la ilustración del Sr. Rowland Hill sobre el gato y la cerda? Voy a ofrecer mi propia versión para ilustrar la significativa palabra de nuestro Salvador, *el que no nace de nuevo no puede ver el reino de Dios* (Juan 3:3).

¿Ves ese gato? Qué criatura tan limpia es. Con qué habilidad se lava con su lengua y sus patas. Es una visión muy atractiva. ¿Habéis visto alguna vez a un cerdo hacer eso? No, nunca. Es contrario a su naturaleza. Prefiere revolcarse en el fango. Ve y enséñale a un cerdo a lavarse, y verás qué poco éxito consigues. Sería una gran mejora sanitaria que los cerdos fueran limpios, pero enseñarles a lavarse y limpiarse como el gato sería una tarea inútil. Puedes lavar ese cerdo a la fuerza, pero sólo se apresurará a volver al fango y se volverá tan sucia como siempre. La única manera de conseguir que un cerdo se lave es transformarla en un gato. Entonces se lavará y quedará limpia, pero no hasta entonces. Supongamos que esa transformación se logra, entonces lo que era difícil o imposible es bastante fácil. A partir de ese momento el cerdo será apto para tu salón y la alfombra frente a tu hogar.

Es lo mismo con una persona impía. No puedes forzarlos a hacer lo que un hombre renovado hace de buena gana. Puedes enseñarles y darles un buen ejemplo, pero no pueden aprender el arte de la santidad, porque no tienen la mente para hacerlo. Su naturaleza los lleva por otro camino. Cuando el Señor hace una nueva creación de ellos, entonces todo es diferente. Este cambio es tan grande, que una vez escuché a un converso decir: "O todo el mundo es cambiado, o lo soy yo". La nueva naturaleza sigue lo correcto con la misma naturalidad que la vieja naturaleza vaga por lo incorrecto. Qué bendición es recibir tal naturaleza. Sólo el Espíritu Santo puede darla.

¿Alguna vez te ha llamado la atención lo maravilloso que es que el Señor dé un nuevo corazón y un espíritu recto a una persona? Tal vez has visto una langosta que ha luchado con otra langosta y ha perdido una de sus pinzas, y le ha crecido una nueva pinza. Eso es algo notable, pero es mucho más asombroso que a una persona se le pueda dar un nuevo corazón. Esto es un milagro más allá de los poderes de la naturaleza.

Hay un árbol que cuando le cortas una de sus ramas, otra puede crecer en su lugar. ¿Pero puedes cambiar el árbol? ¿Puedes endulzar la savia amarga? ¿Puedes hacer que el árbol espinoso dé higos? No, pero puedes injertar algo mejor en él. Esta es la analogía que la naturaleza nos da de la obra de la gracia, pero cambiar absolutamente la savia vital del árbol sería realmente un milagro. Es una maravilla y un misterio que el poder de Dios actúe en todos los que creen en Jesús.

Si te sometes a su obra divina, el Señor alterará tu naturaleza. Él subyugará la vieja naturaleza e insuflará nueva vida en ti. Pon tu confianza en el Señor Jesucristo, y Él quitará el corazón de piedra de tu carne y te dará un corazón tierno de carne. Donde todo era duro, todo se volverá tierno. Donde todo era vicioso, todo se convertirá en virtuoso. Donde todo tendía a ir hacia abajo, todo se elevará con fuerza espontánea. El león de la ira dará paso al cordero de la mansedumbre, y el cuervo de la impureza huirá ante la paloma de la pureza. La vil serpiente del engaño será pisada bajo el talón de la verdad.

Con mis propios ojos, he visto cambios tan maravillosos de carácter moral y espiritual que sé que no hay nadie que no tenga esperanza. Si fuera oportuno, podría señalar a las mujeres que antes no eran castas, pero que ahora son tan puras como la nieve. Y podría hacer lo mismo con hombres que antes eran blasfemos y que ahora deleitan a quienes los rodean por su intensa devoción a Cristo. Los ladrones se vuelven honestos, los borrachos sobrios, los mentirosos veraces y los burlones celosos. *Porque la gracia de Dios se ha manifestado, trayendo salvación a todos los hombres, enseñándonos, que negando la impiedad y los deseos mundanos, vivamos en este mundo sobria, justa y piadosamente,* y, querido lector, hará lo mismo contigo (Tito 2:11-12).

Dices: "No puedo hacer este cambio". ¿Quién dijo que podías? La Escritura que hemos citado no habla de lo que el hombre hará, sino de lo que Dios hará. Es la promesa de Dios, y a Él le corresponde cumplirla. Confía en que Él cumplirá Su Palabra para ti, y se hará.

"Pero, ¿cómo se va a cumplir?", te preguntarás.

¿Qué asunto es el tuyo? ¿Debe el Señor explicar sus métodos antes de que le creas? La obra del Señor en este asunto es un gran misterio. El Espíritu Santo lo realiza y es un asunto espiritual, no físico. El que hizo la promesa tiene la responsabilidad de cumplirla, y está a la altura de la ocasión. Dios, que promete este maravilloso cambio, seguramente lo llevará a cabo en todos los que lo reciban, *pero a todos los que le recibieron, les dio el derecho de llegar a ser hijos de Dios, es decir, a los que creen en su nombre* (Juan 1:12).

¡Cómo ruego que creas! - que le hagas al bondadoso Dios la justicia de creer que Él puede y hará este gran milagro para ti. Te ruego que creas que Dios no puede mentir. Confía en Él para obtener un nuevo corazón y un espíritu recto, porque Él puede dártelos. Que el Señor te dé fe en Su promesa, fe en Su Hijo, fe en el Espíritu Santo, y fe en Él, y a Él será la alabanza, el honor y la gloria por los siglos de los siglos. Amén.

Capítulo 5

Por Gracia Por Medio De La Fe

Creo que es mejor apartar un momento para pedirle a mi lector que observe con adoración la fuente, la fuente de nuestra salvación, que es la gracia de Dios. Por la gracia habéis sido salvados. Porque Dios es misericordioso, los hombres pecadores son perdonados, convertidos, purificados y salvados. No es por algo que haya en ellos o que pueda haber en ellos, o por algo que hayan hecho o puedan hacer, que son salvados. Es por el amor ilimitado, la bondad, la piedad, la compasión, la misericordia y la gracia de Dios. Quédate un momento en la boca del pozo. Contempla el río puro del agua de la vida que sale del trono de Dios y del Cordero.

> *Porque por gracia habéis sido salvados por medio de la fe.* (Efesios 2:8)

¿Quién puede medir la extensión de la gracia de Dios? ¿Quién puede comprender su profundidad? Como el resto de los atributos divinos, su gracia es infinita. Dios está lleno de amor, porque Dios es amor (1 Juan 4:8). Dios está lleno de bondad. El propio nombre "Dios" es sinónimo de "bueno". La bondad y el amor ilimitados entran en el corazón mismo de la Divinidad, *porque para siempre es su misericordia.* (Salmo 136:1). La gente no es destruida porque Su compasión nunca falla (Lamentaciones 3:22), sino que los pecadores son llevados a Él y perdonados.

Recuerda esto, o puedes cometer el error de fijar tu mente tanto en la fe, que es el canal de salvación, que olvides la gracia que es la fuente y el origen incluso de la fe misma. La fe es la obra de la gracia de Dios en nosotros. Nadie puede decir que Jesús es el Cristo sino por el Espíritu Santo (1 Corintios 12:3). "Cristo también ha dicho: 'Nadie viene a mí, si el Padre que me envió no lo atrae'"[5]. Así que esa fe que resulta en venir a Cristo es la consecuencia de la atracción divina que nos arrastra hacia el Padre. La gracia es la primera y última causa que mueve la salvación, y la fe, por esencial que sea, es sólo una parte importante de la maquinaria que la gracia emplea. Somos salvados *por fe*, pero la salvación *es por gracia*. Que esas palabras resuenen como si fueran anunciadas con la trompeta del arcángel: Por gracia habéis sido salvados. Qué feliz noticia es ésta para los que no la merecen.

La fe funciona como un canal o tubería de conducción, mientras que la gracia es la fuente y el arroyo.

5 Martín Lutero, *La Teología Alemana de Martín Lutero* (1516).

La fe es el acueducto por el que fluye el torrente de la misericordia para refrescar a los sedientos hijos de los hombres. Es una gran pena cuando el acueducto se rompe. Es triste ver los muchos acueductos nobles que hay alrededor de Roma y que ya no llevan agua a la ciudad, porque los arcos están rotos y las estructuras maravillosas están en ruinas. El acueducto debe mantenerse íntegro e intacto para llevar el caudal, y, aun así, la fe debe estar fundada en la verdad y ser firme, conduciendo hasta Dios y bajando hasta nosotros, para que pueda convertirse en un canal funcional de misericordia para nuestras almas.

De nuevo, les recuerdo que la fe es sólo el canal o acueducto y no la fuente original de la bendición. No debemos considerar la fe de una manera que la eleve por encima de la gracia de Dios, que es la fuente divina de toda bendición. No pienses en la fe como si fuera la fuente independiente de tu salvación. Nuestra nueva vida se encuentra *fijando nuestros ojos en Jesús* (Hebreos 12:2), no mirando a nuestra propia fe. Por la fe todo se nos hace posible, pero el poder no está en la fe, sino en el Dios en el que la fe se apoya. La gracia es el poderoso motor y la fe es la cadena por la que se sujeta el carro del alma. La justicia de la fe no es la excelencia moral de la fe, sino la justicia de Jesucristo a la que la fe se aferra. La paz en el alma no proviene de la contemplación de nuestra propia fe. Nos viene de Aquel que es nuestra paz, el dobladillo de cuyo manto la fe toca y del que sale la virtud hacia el alma.

Mira entonces que la debilidad de tu fe no te destruirá. Una mano temblorosa aún puede recibir un regalo de oro. La salvación del Señor puede llegar a nosotros aunque tengamos una fe del tamaño de un grano de mostaza. El poder reside en la gracia de Dios y no en nuestra fe. Grandes mensajes pueden ser enviados a través de cables delgados, y el testimonio pacificador del Espíritu Santo puede llegar al corazón por medio de una fe parecida a un hilo que parece casi incapaz de sostener su propio peso. Piensa más en Aquel a quien miras que en la mirada misma. No veas más que a Jesús, y la gracia de Dios revelada en Él.

Capítulo 6

Fe - ¿Qué Es?

¿Qué es esta fe de la que leemos en Efesios 2:8 que dice, *por gracia habéis sido salvados por medio de la fe?* La fe tiene muchas descripciones, pero casi todas las definiciones con las que me he topado me han hecho entenderla menos que antes de verlas. Podemos explicar la fe hasta que nadie la entienda. Espero no ser culpable de ello, porque la fe es sencilla. Pero quizás por su sencillez, es más difícil de explicar.

¿Qué es la fe? La fe se compone de tres aspectos: conocimiento, creencia y confianza. El conocimiento es lo primero. ¿Y cómo creerán en aquel de quien no han oído? (Romanos 10:14). Quiero estar informado sobre un hecho antes de creerlo. *La fe viene del oír* (Romanos 10:17). Primero hay que oír, para saber lo que hay que creer. *En ti pondrán su confianza los que conocen tu nombre* (Salmo 9:10). Un grado de conocimiento es esencial para la fe. Por esta razón, obtener el conocimiento es importante. *Inclinad vuestro oído y venid a mí, escuchad y vivirá vuestra alma* (Isaías 55:3). Tal fue la palabra del profeta Isaías, y sigue siendo la palabra del evangelio. Escudriña las Escrituras y aprende lo que el Espíritu Santo enseña sobre Cristo y su salvación. Busca conocer a Dios. *Es necesario que el que se acerca a Dios crea que Él existe, y que es remunerador de los que le buscan* (Hebreos 11:6). Que el Espíritu Santo te dé el espíritu de conocimiento y de temor del Señor. Conoce el evangelio: conoce lo que son las buenas noticias, cómo habla del perdón gratuito y del cambio de corazón, de la adopción en la familia de Dios, y de otras innumerables bendiciones.

En especial, conocer a Cristo Jesús, el Hijo de Dios, el Salvador que está unido a nosotros por su naturaleza humana, y que sigue siendo uno con Dios. Por ello, puede actuar como Mediador entre Dios y el hombre – capaz de poner su mano sobre ambos para ser el nexo de unión entre el pecador y el juez de toda la tierra. Esfuérzate por conocer más y más a Cristo Jesús. Sobre todo, esfuérzate por conocer la doctrina del sacrificio de Cristo, porque el punto en el que se fija principalmente la fe salvadora es éste: *Dios estaba en Cristo reconciliando al mundo consigo mismo, no tomando en cuenta a los hombres sus transgresiones* (2 Corintios 5:19). Sepan que Jesús se convirtió en una maldición por nosotros, pues está escrito, *Maldito todo el que cuelga de un madero* (Gálatas 3:13). Bebe profundamente de la doctrina de la obra sustitutiva de Cristo, porque en ella se encuentra el más dulce consuelo posible para el culpable, ya que el Señor *Al que no conoció pecado, le hizo pecado por nosotros, para que fuéramos hechos justicia de Dios en Él* (2 Corintios 5:21). La fe comienza con el conocimiento.

Basándose en este conocimiento, la mente pasa a creer que estas cosas son verdaderas. El alma cree que Dios escucha los clamores de un corazón sincero, que el evangelio viene de Dios, y que la justificación por la fe es la gran verdad que Dios ha revelado en estos últimos días por medio de su Espíritu. Junto con la mente y el alma, el corazón cree que Jesús es, de hecho y en verdad, nuestro Dios y Salvador, el Redentor de la humanidad, el profeta, sacerdote y Rey de su pueblo. Todo esto es aceptado como una verdad cierta e incuestionable.

Es mi oración que puedas llegar a aceptar inmediatamente esta verdad y creer firmemente que *la sangre de Jesús su Hijo nos limpia de todo pecado* (1 Juan 1:7), y que Su sacrificio es completo y plenamente aceptado por Dios en nuestro favor, de modo que *el que cree en Él no es condenado* (Juan 3:18). Cree estas verdades, porque la diferencia entre la fe común y la fe salvadora radica principalmente en los sujetos que la ejercen. Cree en el testimonio de Dios como creerías en el testimonio de tu propio padre o amigo. *Si recibimos el testimonio de los hombres, mayor es el testimonio de Dios* (1 Juan 5:9).

Hasta ahora, has avanzado hacia la fe, pero aún necesitas un ingrediente más para completarla: la confianza. Comprométete con el Dios misericordioso. Pon tu esperanza en el evangelio misericordioso. Confía tu alma al Salvador vivo y moribundo y lava tus pecados en la sangre expiatoria. Acepta su perfecta justicia y todo estará bien. La confianza es la sangre vital de la fe. Sin ella, no hay fe salvadora.

Los puritanos explicaban la fe con la palabra recostarse. Significaba "apoyarse en una cosa". Cuando se trata de confiar, apoya todo tu peso en Cristo. Una ilustración aún mejor sería caer de cuerpo entero y recostarse sobre la Roca Eterna. Apóyate en Jesús. Descansa en Él. Comprométete con Él. Cuando has hecho eso, has ejercido la fe salvadora.

La fe no es una cosa ciega, porque la fe empieza con el conocimiento. No es algo especulativo, porque la fe cree en hechos de los que está segura. No es una cosa poco práctica, soñadora, porque la fe confía, y apuesta su destino en la verdad de la revelación.

Esta es una forma de describir lo que es la fe. Aquí hay otra. La fe es creer que Cristo es quien dijo ser y que hará lo que prometió hacer, y luego esperar esto de Él. Las Escrituras hablan de Jesucristo como Dios - Dios en carne humana. Hablan de Él como un ser perfecto en carácter, hecho una ofrenda por el pecado en nuestro nombre, y llevando nuestros pecados en Su propio cuerpo en la cruz. Las Escrituras hablan de Él como si hubiera terminado la transgresión, poniendo fin al pecado y trayendo la justicia eterna (Daniel 9:24).

Las sagradas Escrituras también nos dicen que Él *murió y resucitó* (1 Tesalonicenses 4:14), que siempre vive para interceder por nosotros (Hebreos 7:25), que ha subido a la gloria y que ha tomado posesión del cielo en favor de su pueblo. También dice que volverá pronto y *juzgará al mundo con justicia; con equidad ejecutará juicio sobre los pueblos* (Salmo 9:8). Debemos creer firmemente que esto es cierto, porque el testimonio de Dios Padre dice, *Este es mi Hijo, mi Escogido; a Él oíd* (Lucas 9:35). Esto también es atestiguado por Dios el Espíritu Santo, porque el Espíritu ha dado testimonio de Cristo en la Palabra inspirada, por varios milagros y por su obra en los corazones de los hombres. Debemos creer que este testimonio es verdadero.

La fe también cree que Cristo hará lo que ha prometido. Ya que Él prometió que *al que viene a mí, de ningún modo lo echaré fuera* (Juan 6:37), es seguro que Él no nos echará fuera si venimos a Él. La fe cree que como Jesús dijo *el agua que yo le daré se convertirá en él en una fuente de agua que brota para vida eterna* (Juan 4:14), debe ser verdad. Y si obtenemos esta agua viva de Cristo, permanecerá en nosotros y brotará dentro de nosotros en corrientes de vida santa. Todo lo que Cristo ha prometido hacer, lo hará. Debemos creer esto - debemos buscar el perdón, la justificación, la preservación y la gloria eterna de Sus manos, de acuerdo con lo que ha prometido a los creyentes en Él.

Para el siguiente paso necesario miremos el hecho de que Jesús es quien dijo que es, Jesús hará lo que dice que hará, y por esta razón debemos confiar individualmente en Él, diciendo: "Él será para mí lo que dice que es, y hará por mí lo que ha prometido hacer. Me dejo en las manos de Aquel que está destinado a salvar – que puede salvarme. Me apoyo en su promesa de que hará todo lo que ha dicho". Esta es la fe salvadora, y *El que cree en el Hijo tiene vida eterna* (Juan 3:36)

No importan los peligros y las dificultades que se enfrenten, las tinieblas y las depresiones, las debilidades y los pecados - el que cree en Cristo Jesús de esta manera *tiene vida eterna y no viene a condenación, sino que ha pasado de muerte a vida* (Juan 5:24). Confío en que estas verdades puedan ser usadas por el Espíritu de Dios para dirigirte a la paz inmediata. *No temas, cree solamente* (Marcos 5:36). Confía y descansa.

Mi temor es que te conformes con entender lo que hay que hacer, pero que nunca lo hagas. La fe verdadera más pobre que está realmente en el trabajo es mejor que la mejor fe ideal que se queda flotando con la especulación (Santiago 1:22). Lo importante es que creamos en el Señor Jesús ahora mismo. No importan las diferencias ni las definiciones. Un hombre hambriento come aunque no entienda la composición de su comida, la anatomía de su boca o el proceso de digestión. El vive porque come.

Otra persona mucho más inteligente puede entender a fondo la ciencia de la nutrición, pero si no come, morirá junto con todo su conocimiento. Sin duda, hay muchos en el infierno en este momento que entendieron la doctrina de la fe pero no creyeron. Por otro lado, ni una sola persona que haya confiado en el Señor Jesús ha sido jamás expulsada, aunque nunca haya sido capaz de definir inteligentemente su fe. Recibe al Señor Jesús en tu alma, y vivirás para siempre con Él en el cielo. *El que cree en el Hijo tiene vida eterna* (Juan 3:36).

Capítulo 7

¿Cómo Podemos Ilustrar La Fe?

Para aclarar aún más el asunto de la fe, en este capítulo te daré algunas ilustraciones. Aunque sólo el Espíritu Santo puede hacerte ver, es mi deber y mi alegría proporcionar toda la luz que pueda, y orar para que el Dios del cielo abra los ojos ciegos. Espero que esta sea también tu oración.

La fe que salva tiene similitudes con el cuerpo humano.

Es el ojo el que da la visión. A través del ojo, traemos a la mente cosas que están lejos. Con una mirada de nuestros ojos, podemos traer a la mente el sol y las estrellas lejanas. De la misma manera, por medio de la confianza, traemos al Señor Jesús cerca de nosotros. Aunque Él esté lejos en el cielo, entra en nuestro corazón. Sólo hay que mirar a Jesús. Este mensaje plasmado en el himno "La mirada de fe" es exactamente cierto:

La mirada de fe al que ha muerto en la cruz
Infaliblemente la vida nos da.

La fe es como la mano que agarra. Cuando nuestra mano se aferra a algo, hace precisamente lo que hace la fe cuando se apropia de Cristo y de las bendiciones de su redención. La fe dice: "Jesús es mío". La fe oye hablar de la sangre que perdona y clama: "La acepto para que me perdone". La fe llama suyos los legados de Jesús moribundo, y lo son porque la fe es heredera de Cristo. Él se ha dado a sí mismo y todo lo que tiene a la fe. Acepta lo que la gracia te ha proporcionado. No serás un ladrón, porque tienes un permiso divino. El que desea, que tome gratuitamente del agua de la vida (Apocalipsis 22:17). El que puede hacer suyo un tesoro con sólo agarrarlo será un necio si sigue siendo pobre.

La fe es como la boca. Se alimenta de Cristo. Antes de que el alimento pueda nutrirnos, debe ser recibido en nosotros. Esto es un asunto simple - comer y beber. Recibimos voluntariamente el alimento en la boca y éste pasa a nuestro interior donde es absorbido. El apóstol Pablo dice: *La palabra está cerca de ti, en tu boca* (Romanos 10:8). Para que baje al alma, basta con tragarla. Las personas que tienen hambre y ven comida delante de ellos no necesitan que se les enseñe a comer. Uno diría: "Denme un cuchillo y un tenedor y una oportunidad", y estaría totalmente preparado para hacer el resto.

En verdad, un corazón hambriento y sediento de Cristo sólo tiene que saber que esto se le da gratuitamente, y ese corazón lo recibirá inmediatamente. Si te encuentras en esta situación, no dudes en recibir a Jesús. Puedes estar seguro de que nunca serás culpado por hacerlo, *pero a todos los que le recibieron, les dio el derecho de llegar a ser hijos de Dios* (Juan 1:12). Jesucristo nunca rechaza a los que le reciben, sino que autoriza a todos los que vienen a seguir siendo hijos para siempre.

Las actividades de la vida ilustran la fe de muchas maneras. El agricultor entierra una buena semilla en la tierra y espera, no sólo que brote y viva, sino también que se multiplique. Tiene fe en la promesa de que *la siembra y la siega... nunca cesarán* (Génesis 8:22), y es recompensado por su fe.

Un comerciante pone su dinero al cuidado de un banquero y confía totalmente en la honestidad y solidez del banco. Confía su capital en manos de otro y se siente mucho más tranquilo que si tuviera el oro macizo encerrado en una caja fuerte de hierro.

El marinero se confía al mar. Cuando sube a su barco, retira su pie de la tierra firme y lo apoya en la flotabilidad del océano. Esto no podría lograrse si no se aventurara por completo a la mar.

El orfebre pone el metal precioso en el fuego, que parece ansioso por consumirlo, pero lo recibe de nuevo del horno, purificado por el calor.

No hay ningún lugar al que se pueda acudir en la vida sin ver la fe en funcionamiento entre una persona y otra, o entre una persona y la ley natural. Ahora bien, así como confiamos en la vida diaria, de la misma manera debemos confiar en Dios tal como se revela en Cristo Jesús. La fe existe en diferentes personas en diversos grados, según el grado de su conocimiento o crecimiento en la gracia. A veces, la fe es poco más que un simple aferrarse a Cristo: un sentido de dependencia y una disposición a confiar.

Cuando visites la playa, verás moluscos marinos pegados a las rocas. Si te acercas con cuidado a la roca y le das un golpe rápido al molusco con un palo, este se desprenderá. Intenta hacer lo mismo con el siguiente molusco. Le has dado una advertencia: ha oído el primer golpe que has dado a su vecino, así que se aferra con todas sus fuerzas. Nunca conseguirás quitárselo de encima. Puedes golpear y volver a golpear e incluso romper la roca, pero nuestro pequeño amigo, el molusco, aunque no sabe ni entiende mucho, se aferra. Esta pequeña criatura no conoce la formación geológica de la roca, pero aun así se aferra. Puede aferrarse y ha encontrado algo a lo que aferrarse. Esta es la suma de todos sus conocimientos, y la utiliza para su seguridad y salvación.

Es la vida del molusco aferrarse a la roca, y es la vida del pecador aferrarse a Jesús. Miles de personas de Dios no tienen más fe que ésta. Saben lo suficiente para aferrarse a Jesús con todo su corazón y su alma, y esto es suficiente para la paz y la seguridad eterna. Para ellos, Jesucristo es un Salvador fuerte y poderoso, una Roca inamovible e inmutable. Se aferran a Él por la vida, y este aferramiento los salva. Te pregunto, ¿no puedes aferrarte? Hazlo de inmediato.

La fe se ve cuando una persona se apoya en otra porque reconoce su conocimiento superior. Esta es una fe más elevada que la que muestra el molusco aferrado, porque esta fe conoce la razón de su dependencia y actúa en consecuencia. No creo que el molusco sepa mucho sobre la roca, pero a medida que la fe crece, se vuelve más y más inteligente. Un ciego se confía a su guía, porque sabe que su guía puede ver, así que confía en caminar hacia donde su guía le lleva. Si el pobre hombre nace ciego, no sabe lo que es la vista, pero sabe que existe y que su guía la posee. Por eso, pone libremente su mano en la del que ve y sigue su dirección. *Porque por fe andamos, no por vista* (2 Corintios 5:7).

Dichosos los que no vieron, y sin embargo creyeron (Juan 20:29). Este es el mejor ejemplo de fe que puede haber. Sabemos que Jesús tiene mérito, poder y bendición, que nosotros no tenemos, y por esa razón, con gusto nos confiamos a Él para que sea para nosotros lo que no podemos ser por nosotros mismos. Confiamos en Él como el ciego confía en su guía. Jesús nunca traiciona nuestra confianza, Él se hizo para nosotros sabiduría de Dios, y justificación, y santificación, y redención (1 Corintios 1:30).

Todo niño que va a la escuela tiene que ejercer la fe mientras aprende. Su profesor le instruye en geografía y le enseña sobre la tierra y la existencia de ciertas grandes ciudades e imperios. El niño no sabe que estas cosas son verdaderas, pero cree en su maestro y en sus libros. Eso es lo que tendrás que hacer con Cristo, si quieres ser salvo. Simplemente debes saber porque en la Biblia te lo dice; creer porque te asegura que es así, y confiar en Él porque te promete que la salvación será el resultado.

Casi todo lo que tú y yo sabemos ha llegado a nosotros a través de la fe. Cuando se hace un descubrimiento científico y estamos seguros de él, ¿en qué nos basamos para creerlo? En la autoridad de ciertos expertos conocidos, cuya reputación está establecida. Nunca hemos realizado ni visto sus experimentos, pero creemos en sus pruebas. Tú debes hacer lo mismo con respecto a Jesús. Él te enseña ciertas verdades y tú debes ser su discípulo y creer en sus palabras. Porque Él ha realizado ciertos actos, debes ser su seguidor y confiarte a Él. Él es infinitamente superior a ti y se presenta delante de ti para que confíes en Él como tu Maestro y Señor. Si recibes a Jesús y sus palabras, serás salvo.

Otra forma de fe aún más elevada es la que surge del amor. ¿Por qué un niño confía en su padre? El niño confía en su padre porque lo ama. Aquellos que tienen una dulce fe en Jesús, entrelazada con un profundo afecto por Él, son bendecidos y felices porque ésta es una confianza pacífica. Estos que aman a Jesús están encantados con su carácter y su misión. Se dejan llevar por la bondad amorosa que ha mostrado y no pueden evitar confiar en Él, porque lo admiran, lo respetan y lo aman mucho.

El camino de la confianza amorosa en el Salvador puede ilustrarse así. Una señora es la esposa del médico más eminente del momento. Aquejada de una peligrosa enfermedad, se ve abatida por su poder, pero sigue asombrosamente tranquila y sosegada, porque su marido ha hecho de esta enfermedad su especialidad. Ha curado a miles de personas que padecían una enfermedad similar. No se inquieta lo más mínimo porque se siente perfectamente segura en manos de alguien tan querido para ella, y en quien la habilidad y el amor se mezclan en sus formas más elevadas. Su fe es razonable y natural. Desde cualquier punto de vista, su marido se lo merece. Esta es la clase de fe que los creyentes más felices ejercen hacia Cristo. No hay médico como Él. Nadie puede salvar como Él. Nosotros le amamos, y Él nos ama. Por eso, nos ponemos en sus manos, aceptamos lo que nos prescribe y hacemos lo que nos pide. Sentimos que nada puede estar fuera de lugar mientras Él dirige nuestros asuntos, porque nos ama demasiado como para dejarnos perecer (2 Pedro 3:9) o sufrir un solo dolor innecesario.

La fe es la raíz de la obediencia, lo que puede verse claramente en los asuntos de la vida. Cuando un capitán confía en un piloto para conducir su barco a puerto, dirige el barco según las indicaciones del piloto. Cuando un viajero confía en un guía para que le conduzca por un paso difícil, sigue la pista que su guía le indica. Cuando un paciente cree en un médico, sigue cuidadosamente sus prescripciones e indicaciones.

La fe que se niega a obedecer los mandatos del Salvador es sólo una fachada y nunca salvará el alma. Jesús nos da indicaciones sobre el camino de la salvación, y si seguimos estas indicaciones nos salvamos. No olvides esto. Cuando confías en Jesús, demuestras tu confianza haciendo todo lo que Él te dice.

Una forma notable de fe es la que resulta del conocimiento seguro que proviene del crecimiento en la gracia. Esta es la fe que cree en Cristo porque lo conoce y confía en Él, porque ha comprobado que es infaliblemente fiel. Una anciana cristiana tenía la costumbre de escribir "PyC" en el margen de su Biblia cada vez que había Probado y Comprobado una promesa. Qué fácil es confiar en un Salvador probado y comprobado. Puede que aún no seas capaz de hacerlo, pero eventualmente lo harás. Todo debe tener un comienzo. A su debido tiempo, tendrás una fe fuerte. Esta fe madura no pide señales, sino que cree valientemente.

Mira la fe del maestro marinero - a menudo me he maravillado de ella. Suelta su cabo y se aleja de la tierra. Durante días, semanas o incluso meses, no ve ni la vela ni la orilla, y aun así continúa día y noche sin miedo, hasta que una mañana se encuentra justo enfrente del puerto al que se dirigía. ¿Cómo se orienta en las profundidades sin rumbo? Confía en su brújula, su almanaque náutico, su telescopio y los cuerpos celestes. Siguiendo su guía, sin avistar tierra, se dirige con tanta precisión que no cambia un punto para entrar en puerto. Es algo maravilloso.

Espiritualmente, es una cosa bendita dejar totalmente las orillas de la vista y el sentimiento, y decir adiós a los sentimientos internos, a las oportunidades prometedoras, a las señales y a esas cosas. Es glorioso estar lejos en el océano del amor divino, creyendo en Dios, y dirigiéndose directamente al cielo por la dirección de la Palabra de Dios. Dichosos los que no vieron, y sin embargo creyeron (Juan 20:29). A ellos se les dará una vida abundante al final y un viaje seguro en el camino. ¿No pondrás tu confianza en Dios en Cristo Jesús? Allí yo descanso con alegre confianza, y te pido que vengas conmigo y creas en nuestro Padre y en nuestro Salvador. Ven ahora.

Capítulo 8

¿Por Qué Somos Salvos Por La Fe?

¿Por qué es la fe el canal elegido para la salvación? Sin duda es una pregunta que se hace a menudo. *Porque por gracia habéis sido salvados por medio de la fe* (Efesios 2:8) es ciertamente doctrina de la Sagrada Escritura y un decreto de Dios, pero ¿por qué lo es? ¿Por qué se selecciona la fe en lugar de la esperanza, o el amor, o la paciencia?

Conviene que seamos humildes al responder a esa pregunta, porque los caminos de Dios no siempre se entienden, ni se nos permite cuestionarlos presuntuosamente. Con humildad debemos decir que, por lo que podemos ver, la fe ha sido seleccionada como canal de la gracia porque la fe se adapta naturalmente a ser utilizada como receptora. Piénsalo así. Si estoy dispuesto a dar a un pobre un regalo caritativo, lo pongo en su mano. ¿Por qué? Pues porque no sería adecuado ponérselo en la oreja, o ponérselo en el pie. La mano está hecha para recibir, y, como la mano del hombre, la fe está creada para ser receptora.

La fe que recibe a Cristo es un acto tan sencillo como cuando tu hijo recibe una manzana de ti, porque se la ofreces y le prometes que se la darás si viene por ella. La creencia y la recepción se refieren sólo a una manzana, pero constituyen precisamente el mismo acto que la fe que se ocupa de la salvación eterna. Lo que la mano del niño es para la manzana, tu fe es para la salvación perfecta de Cristo. La mano del niño no hace la manzana, ni mejora la manzana, ni merece la manzana. Sólo la recibe.

La fe es elegida por Dios para ser receptora de la salvación, porque no pretende crear la salvación ni ayudar en ella. En cambio, se contenta con recibirla humildemente. La fe es la lengua que implora el perdón, la mano que lo recibe y el ojo que lo ve, pero no es el precio que lo compra. La fe nunca se convierte en su propio argumento. Su argumento se apoya en la sangre de Cristo. Se convierte en una buena sierva que trae las riquezas del Señor Jesús al alma, porque reconoce la fuente de la que las extrajo. Ella admite que sólo la gracia le confió las mismas.

Una vez más, la fe es sin duda seleccionada porque da toda la gloria a Dios. Es de fe para que sea por gracia, y es de gracia para que no haya jactancia, porque Dios no puede soportar el orgullo. *Al altivo conoce de lejos* (Salmo 138:6), y Dios no desea acercarse a ellos. No dará la salvación de manera que sugiera o fomente el orgullo. Pablo dice, *no por obras, para que nadie se gloríe* (Efesios 2:9). La fe excluye toda jactancia.

La mano que recibe la caridad no dice: "Hay que darme las gracias por aceptar el regalo". Eso sería absurdo. Cuando la mano levanta el pan a la boca no le dice al cuerpo: "Dame las gracias porque te alimento". Es algo muy sencillo lo que hace la mano, pero muy necesario. Nunca reclama la gloria para sí misma por lo que hace. De la misma manera, Dios ha seleccionado a la fe para que reciba el don inefable de su gracia, porque no puede atribuirse ningún mérito, sino que debe adorar al Dios bondadoso que es el dador de todo bien. La fe pone la corona en la cabeza correcta, y por eso el Señor Jesús debía servir para poner la corona en la cabeza de la fe, diciendo: Tu fe te ha salvado; vete en paz (Lucas 7:50).

A su vez, Dios elige la fe como canal de salvación porque es un método seguro que une al hombre con Dios. Cuando el hombre confía en Dios, se crea un punto que une a los dos, y esa unión garantiza la bendición. La fe nos salva porque nos hace aferrarnos a Dios y nos conecta con Él. He utilizado a menudo la siguiente ilustración, y no se me ocurre otra mejor. Es una historia que escuché hace años, sobre un barco que se volcó sobre las cataratas del Niágara. Dos hombres estaban siendo arrastrados por la corriente, y la gente en la orilla se las arregló para hacer flotar una cuerda hacia ellos, a la que ambos se agarraron.

Uno de los hombres se aferró a la cuerda y quedó a salvo en la orilla, pero el otro hombre soltó la cuerda imprudentemente cuando vio pasar un gran tronco. Decidió aferrarse al tronco porque era más grande que la cuerda y, según su opinión, era la mejor opción. Desgraciadamente, el tronco con el hombre sobre él se precipitó por la catarata hacia el inmenso abismo, porque no había ningún vínculo - ninguna unión - entre el tronco y la orilla. El tamaño del tronco no beneficiaba al hombre que lo agarraba. Necesitaba una conexión con la orilla para estar seguro.

Es lo mismo con la persona que confía en sus obras, en los sacramentos, las ordenanzas o cualquier cosa de ese tipo. Tal persona no se salvará, porque no hay conexión entre él y Cristo. Pero la fe, aunque parezca una cuerda delgada, está en manos del gran Dios en la orilla. El poder infinito tira de la línea de conexión y saca al hombre de la destrucción. Oh, la bendición de la fe, porque nos une a Dios.

La fe también es elegida como conducto de la gracia porque toca el lugar donde comienza la acción. Incluso en las cosas ordinarias, un cierto tipo de fe está en la raíz de todo. Me pregunto si no sería un error decir que nunca hacemos nada si no es a través de algún tipo de fe. Por ejemplo, si camino por mi estudio, es porque creo que mis piernas me llevarán. Un hombre come porque cree en la necesidad de la comida. Va a trabajar porque cree en el valor del dinero. Acepta un cheque porque cree que el banco lo pagará. Colón descubrió América porque creía que había otro continente más allá del océano; y los Padres Peregrinos la colonizaron porque creían que Dios estaría con ellos en esas costas rocosas.

La mayoría de las grandes obras han nacido de la fe, ya sea para el bien o para el mal, porque la fe hace maravillas a través de la persona en la que habita. La fe, en su forma natural, es una fuerza persuasiva, que entra en todo tipo de acciones humanas. Posiblemente la persona que se burla de la fe en Dios es la que, de forma malvada, tiene más fe. En realidad, ha caído en una credulidad que sería ridícula, si no fuera tan vergonzosa.

Dios da la salvación a la fe, porque al crear la fe en nosotros toca el verdadero motor de nuestras emociones y acciones. Ha tomado posesión, por así decirlo, de la batería por la que se convierte la energía y por la que puede enviar la corriente sagrada a cada parte de nuestra naturaleza. Cuando creemos en Cristo y el corazón entra en posesión de Dios, entonces somos salvados del pecado y movidos hacia el arrepentimiento, la santidad, el celo, la oración y cualquier otra cosa de gracia. Es una consagración de algo de uso común a un uso santo. Lo que el aceite es para las ruedas, lo que las pesas son para un reloj, lo que las alas son para un pájaro, lo que las velas son para un barco, eso es lo que la fe es para todos los deberes y obras santas del cuerpo y de la mente. Ten fe, y todas las demás gracias os seguirán y seguirán su curso.

La fe tiene el poder de obrar por medio del amor. Influye en las pasiones hacia Dios, y atrae el corazón hacia las mejores cosas. El que cree en Dios amará a Dios sin duda alguna. La fe es un acto del entendimiento, pero también procede del corazón. *Porque con el corazón se cree para justicia, y con la boca se confiesa para salvación* (Romanos 10:10). Por tanto, Dios da la salvación a la fe porque ésta reside junto a las pasiones y está estrechamente relacionada con el amor, y el amor es el padre y el cuidador de todo sentimiento y acto santo. El amor a Dios es obediencia; el amor a Dios es santidad. Amar a Dios y amar al hombre es ser conformado a la imagen de Cristo, y esto es la salvación.

Del mismo modo, la fe crea paz y gozo. El que tiene fe descansa en Cristo y está tranquilo. Está alegre y gozoso, lo cual es un entrenamiento para el cielo. Dios da todos los dones celestiales a la fe por esta razón, entre otras, es que la fe obra en nosotros la vida y el espíritu que han de desplegarse eternamente en el cielo en presencia de Dios. La fe nos proporciona una armadura para esta vida (Efesios 6:10-18), y nos enseña sobre la vida futura. Permite a los creyentes vivir y morir sin miedo, y nos prepara para la acción y el sufrimiento. Además, el Señor la elige como el medio más conveniente para transmitirnos la gracia y colocarnos así en posición de gloria.

La fe ciertamente hace por nosotros lo que ninguna otra cosa puede hacer. Nos da gozo y paz y hace que dejemos de esforzarnos y entremos en el descanso (Salmo 46:10). ¿Por qué la gente intenta obtener la salvación por otros medios? Un viejo predicador dice: "Un siervo tonto al que se le dice que abra una puerta, pone su hombro sobre ella y empuja con todas sus fuerzas. Pero la puerta no se mueve. No puede entrar, aunque emplee toda su fuerza. Llega otro con una llave, abre fácilmente la puerta y entra. Los que esperan ser salvados por las obras están empujando la puerta del cielo sin resultado. La fe es la llave que abre la puerta al instante".

¿No vas a usar esa llave? El Señor te manda que creas en su querido Hijo, y al hacerlo, vivirás. ¿No es ésta la promesa del evangelio? *El que crea y sea bautizado será salvo* (Marcos 16:16). ¿Cómo puedes objetar a un camino de salvación que se confía a la misericordia y la sabiduría de nuestro bondadoso Dios?

Capítulo 9

¡Ay! No Puedo Hacer Nada Bueno

Después de que el corazón ansioso ha aceptado la doctrina de la expiación y ha aprendido la gran verdad de que la salvación es por la fe en el Señor Jesús, a menudo se ve profundamente turbado por un sentimiento de incapacidad para hacer lo que es bueno. Muchos se lamentan de que no pueden hacer nada bueno. No están poniendo una excusa, sino que están expresando una carga diaria. De todo corazón harían el bien, si pudieran, pero cada uno puede decir honestamente, *porque el querer está presente en mí, pero el hacer el bien, no* (Romanos 7:18).

Este sentimiento parece anular el evangelio, porque ¿de qué le sirve la comida a un hambriento si no puede acceder a ella? ¿De qué sirve el río de agua de vida si no se puede beber? Esto me recuerda la historia del médico y el hijo de una pobre mujer. El sabio médico le dijo a la madre que su pequeño mejoraría pronto bajo un tratamiento adecuado, pero que era absolutamente necesario que su hijo bebiera regularmente el mejor vino y pasara algún tiempo en uno de los balnearios alemanes. Recordemos que esto se lo dijo a una viuda que apenas podía conseguir pan para comer. De la misma manera, a veces le parece al corazón atribulado que el sencillo evangelio de "cree y vive" no es tan sencillo después de todo, porque le pide al pobre pecador que haga lo que no puede hacer. Para el creyente verdaderamente despierto espiritualmente, pero medio instruido, parece haber un eslabón perdido. Ellos pueden ver la salvación de Jesús en la distancia, pero ¿cómo alcanzarla? El alma está sin fuerzas y no sabe qué hacer. Se encuentra a la vista de la ciudad de refugio y no puede entrar por su puerta.

¿Está prevista esta falta de fuerza en el plan de salvación? Así es. La obra del Señor es perfecta. Comienza donde nosotros estamos, y no nos pide nada para llegar a su culminación. Cuando el buen samaritano vio al viajero que yacía herido y medio muerto, no le dijo que se levantara y se acercara a él, ni que montara en el burro y se fuera a la posada. No, *llegó a donde él estaba* (Lucas 10:33), lo atendió, lo subió a la bestia y lo llevó a la posada. Así es como el Señor Jesús trata con nosotros en nuestra condición baja y miserable.

Hemos visto que Dios justifica - que justifica a los impíos - y que los justifica por medio de la fe en la preciosa sangre de Jesús. Ahora debemos ver la condición en la que se encuentran estos impíos cuando Jesús obra su salvación. Muchas personas que son despertadas espiritualmente no están preocupadas sólo por su pecado sino también por su debilidad moral. No tienen fuerza para escapar del profundo lodo en el que han caído, ni siquiera la fuerza para mantenerse fuera de él después. No sólo se afligen por lo que han hecho, sino también por lo que no pueden hacer. Se sienten impotentes, desamparados y sin vida espiritual.

Puede sonar extraño decir que se sienten muertos, y sin embargo, en algún nivel es cierto, porque a sus propios ojos son incapaces de todo bien. Sienten que no pueden recorrer el camino del cielo, porque sus huesos están rotos. Ninguno de los hombres fuertes ha encontrado sus manos (Salmo 76:5); de hecho, están sin fuerzas. Sin embargo, no necesitamos mirar a nuestra propia fuerza, porque podemos ver felizmente la mención del amor de Dios hacia nosotros escrita en su Palabra. *Porque mientras aún éramos débiles, a su tiempo Cristo murió por los impíos* (Romanos 5:6).

En este verso, vemos aliviada la impotencia consciente, aliviada por la intervención del Señor. Nuestra impotencia es extrema. No está escrito: "Cuando éramos comparativamente débiles, Cristo murió por nosotros", o "Cuando sólo teníamos un poco de fuerza", sino que la descripción es absoluta e ilimitada: *mientras aún éramos débiles.* No teníamos ninguna fuerza que pudiera ayudarnos en nuestra salvación. Las palabras de nuestro Señor eran rotundamente ciertas. *Separados de mí nada podéis hacer* (Juan 15:5). Puedo ir más allá y recordarles el gran amor con el que el Señor nos amó, *aun cuando estábamos muertos en nuestros delitos* (Efesios 2:5). Estar muerto es aún más que estar sin fuerzas.

La única cosa en la que el pobre pecador carente de fuerza tiene que fijar su mente y recordar firmemente como su único fundamento de esperanza, es la seguridad divina de que Él, en el momento oportuno, murió por los impíos. Cree en esto y toda la desesperanza desaparecerá. Como en la historia del legendario Midas, que convirtió todo en oro con su toque, así es con la verdadera fe: convierte en bueno todo lo que toca. Nuestras necesidades y debilidades se convierten en bendiciones cuando la fe se ocupa de ellas.

Consideremos formas específicas de esta falta de fuerza. Para empezar, una persona dirá: "Parece que no tengo fuerzas para ordenar mis pensamientos y mantenerlos fijos en esos temas serios que conciernen a mi salvación. Incluso una breve oración es casi demasiado para mí. Tal vez esto se deba en parte a la debilidad natural, en parte a que me he perjudicado a mí mismo por un exceso de indulgencia, y en parte a que me preocupo por los asuntos mundanos hasta el punto de no ser apto para los pensamientos importantes necesarios para que un alma pueda ser salvada."

Esto resulta ser una forma muy común de debilidad pecaminosa ya que muchos otros experimentan esta misma falta de fuerza. No pueden mantener sus mentes enfocadas en un pensamiento secuencial ininterrumpido para salvar sus vidas. Muchos hombres y mujeres pobres son analfabetos e incultos, y encuentran que el pensamiento profundo es un trabajo duro. Otros son tan ligeros y triviales por naturaleza que no pueden seguir un largo proceso de argumentación y razonamiento, como tampoco pueden volar. Nunca podrán comprender un misterio profundo aunque pasen toda su vida en el esfuerzo.

El hecho es que no necesitas desesperarte porque el pensamiento continuo no es lo que se necesita para la salvación, sino una simple confianza en Jesús. Aférrate a este hecho: *En el momento oportuno, Cristo murió por los impíos.* Esta verdad no requerirá ninguna investigación profunda o razonamiento profundo o argumento convincente de tu parte. Sólo mantente firme en esta verdad. Fija tu mente en ella y descansa allí.

Deja que este hecho grande, bondadoso y glorioso repose en tu espíritu hasta qué perfume todos tus pensamientos y te haga regocijar aunque estés sin fuerzas. Considera al Señor Jesús como tu fuerza y tu canción, pues Él se ha convertido en tu salvación. Según las Escrituras, es un hecho revelado que *en el momento oportuno Cristo murió por los impíos* cuando aún estaban sin fuerzas. Es posible que hayas escuchado estas palabras cientos de veces y, sin embargo, nunca hayas percibido su significado. Hay un aroma edificante en ellas, ¿no es así? Jesús no murió por nuestra justicia, sino que murió por nuestros pecados. No vino a salvarnos porque fuéramos dignos de ser salvados, sino porque estábamos completamente desprovistos de valor, arruinados y deshechos. No vino a la tierra por algo que hayamos hecho para merecer su amor, sino únicamente por razones que sacó de las profundidades de su propio amor divino (Romanos 5:8). En su momento murió por aquellos que son descritos no como piadosos, sino como impíos.

Aunque tu mente esté limitada en su comprensión,

puede captar esta verdad. Aférrate a ella, porque es capaz de alegrar el corazón más pesado. Deja que este verso esté debajo de tu lengua como un bocado dulce, hasta que se disuelva en tu corazón y le dé sabor a todos tus pensamientos. Entonces no importará mucho, aunque nuestros pensamientos estén tan dispersos como las hojas del otoño. Personas que nunca han sido brillantes en la ciencia, o que han mostrado poca originalidad en su pensamiento, han sido plenamente capaces de aceptar la doctrina de la cruz y se han salvado. ¿Por qué no habrías de hacerlo tú?

He escuchado a otro hombre decir: "¡Mi falta de fuerza radica principalmente en que no puedo arrepentirme lo suficiente!". Las ideas de la gente sobre lo que es el arrepentimiento son a menudo curiosas. Muchos se imaginan que hay que derramar muchas lágrimas, soltar muchos gemidos y soportar mucha desesperación. ¿De dónde viene esta noción irracional? La incredulidad y la desesperación son pecados. Por lo tanto, no veo cómo pueden ser elementos fundamentales de un arrepentimiento aceptable. Sin embargo, muchos los consideran partes necesarias de la verdadera experiencia cristiana, pero esto es muy incorrecto.

Sin embargo, sé lo que quieren decir, porque en los días de mi oscuridad espiritual me sentía igual. Quería arrepentirme, pero pensaba que no podía hacerlo. Y sin embargo, incluso mientras pensaba esto, en realidad me estaba arrepintiendo. Por extraño que parezca, sentía que no podía sentir. Me arrinconaba y lloraba porque no podía llorar. Y caía en una amarga pena porque no me dolía lo suficiente el pecado. Qué revuelto es todo cuando, en nuestro estado incrédulo, empezamos a juzgar nuestra propia condición. Es como un ciego que mira sus propios ojos. Mi corazón se derritió dentro de mí por el miedo, porque pensé que mi corazón era tan duro como una piedra inflexible. Mi corazón se rompió al pensar que no se rompería. Ahora puedo ver que estaba exhibiendo lo mismo que pensaba que no poseía, pero entonces no sabía dónde estaba espiritualmente.

Oh, cómo me gustaría poder ayudar a otros a entrar en la luz que yo disfruto ahora. Me haría tan feliz decir cualquier cosa que pudiera acortar el tiempo de su confusión - si pudiera decir unas simples palabras y orar, *el Consolador, el Espíritu Santo* (Juan 14:26) los aplicaría al corazón. Recuerda que la persona que se arrepiente de verdad nunca está satisfecha con su propio arrepentimiento. No podemos arrepentirnos perfectamente, como tampoco podemos vivir perfectamente. Por muy puras que sean nuestras lágrimas, siempre habrá algo de suciedad en ellas, porque siempre tenemos algo de lo que arrepentirnos incluso en nuestro mayor dolor o en nuestra más profunda contrición por el pecado.

Pero, ¡escucha! Arrepentirse es cambiar de opinión sobre el pecado y Cristo, y todas las innumerables cosas sobre Dios. El dolor está implícito en el arrepentimiento, pero el punto principal es el cambio del corazón del pecado a Cristo. Si este giro ocurre, tienes la sustancia del verdadero arrepentimiento, aunque ningún grito y ninguna desesperación arrojen una sombra sobre tu mente. Si no puedes arrepentirte como deberías, si crees firmemente que *en el momento oportuno Cristo murió por los impíos*, te ayudará realmente a hacerlo.

Medita en esto una y otra vez. ¿Cómo puedes seguir siendo duro de corazón cuando sabes que por amor supremo *Cristo murió por los impíos*? Permíteme que te persuada a razonar dentro de ti de esta manera: Por muy impío que sea, aunque mi corazón de piedra no ceda, ya que Él murió por los impíos, murió por gente como yo. Ayúdame a creer esto y a sentir su poder sobre mi corazón de piedra.

Borra cualquier otra reflexión de tu alma, y siéntate con el Señor y medita profundamente en esta impresionante muestra de amor inmerecido, inesperado y sin igual: Cristo murió por los impíos. Lee atentamente el relato de la muerte del Señor en los cuatro Evangelios. Si hay algo que pueda derretir tu obstinado corazón, serán los sufrimientos de Jesús y el hecho de que sufriera todo esto por sus enemigos.

Oh Jesús, dulces las lágrimas que derramo,
mientras me arrodillo ante tu cruz,
mirando tu cabeza herida y desmayada,
Y todas tus penas siento.

Mi corazón se disuelve al verte sangrar,
Este corazón tan duro antes;
Te oigo suplicar por el culpable,
y el dolor se desborda aún más.

Por los pecadores moriste,
y yo soy un pecador;
Qué amor habla de tus ojos moribundos,
y de cada mano traspasada
– Ray Palmer

Si comprendes el pleno significado del sacrificio divino de Jesús, debes arrepentirte de haberte opuesto a un Dios tan lleno de amor. Está escrito, *y me mirarán a mí, a quien han traspasado. Y se lamentarán por Él, como quien se lamenta por un hijo único, y llorarán por Él, como se llora por un primogénito* (Zacarías 12:10). El arrepentimiento no te hará ver a Cristo, pero ver a Cristo te dará el arrepentimiento. No puedes hacer un Cristo de tu arrepentimiento, pero debes buscar el arrepentimiento que te lleva a Cristo. Cuando el Espíritu Santo nos lleva a Cristo, nos aleja del pecado. Mira desde el efecto hacia la causa, desde tu propio arrepentimiento hacia el Señor Jesús que está exaltado en lo alto para dar el arrepentimiento.

Escuché a otro decir: "Estoy atormentado con pensamientos horribles. Dondequiera que vaya, las blasfemias me asaltan. Con frecuencia, en mi trabajo, una sugerencia espantosa se abre paso en mis pensamientos, e incluso por la noche, me sobresaltan de mi sueño los susurros del Maligno. No puedo escapar de esta horrible tentación".

Puedo identificarme con tal tormento, porque he sido perseguido por este lobo. Un hombre podría esperar tanto luchar contra un enjambre de moscas con una espada como dominar sus propios pensamientos cuando son atacados por el Diablo. Una pobre alma tentada y asaltada por insinuaciones satánicas es como un viajero, del que leí que su cabeza, sus orejas y todo su cuerpo fueron atacados por un enjambre de abejas furiosas. No pudo alejarlas ni escapar de ellas. Le picaban por todas partes y amenazaban con causar su muerte. No es de extrañar que sientas que no tienes la fuerza para detener estos pensamientos horribles y abominables que Satanás vierte en tu alma. Pero de nuevo te recuerdo la Escritura que tenemos ante nosotros: - *Porque cuando todavía estábamos indefensos, en el momento oportuno murió Cristo por los impíos.* Jesús sabía dónde estábamos y dónde estaríamos. Él vio que no podíamos vencer al príncipe de la potestad del aire. Él sabía que estaríamos muy angustiados por él; pero incluso entonces, cuando nos vio en esa condición, *Cristo murió por los impíos.*

Echa el ancla de tu fe en esto. El mismo diablo no puede decirte que no eres impío, así que cree que Jesús murió por ti tal como eres. Recuerda la forma en que Martín Lutero le cortó la cabeza al Diablo con su propia espada:

"Oh", dijo el Diablo a Martín Lutero, "eres un pecador".

"Sí", respondió Lutero. "Cristo murió para salvar a los pecadores"

De este modo, lo acuchilló con su propia espada. Escóndete en este conocimiento -este refugio- y permanece allí. *En el momento oportuno, Cristo murió por los impíos*. Si te mantienes en esa verdad, los pensamientos blasfemos que no tienes fuerza para alejar se irán por sí solos, porque Satanás verá que no consigue nada atormentándote con ellos. Si odias estos pensamientos, no son tuyos sino que son inyectados en tu pensamiento por el Diablo. En ese caso, él es el responsable y no tú. Si te esfuerzas en combatirlos, no son más tuyos que las maldiciones y mentiras de los alborotadores en la calle. El Diablo quiere llevarte a la desesperación con esos pensamientos o, al menos, impedirte que confíes en Jesús.

La pobre mujer enferma no pudo acercarse a Jesús debido a la presión de la multitud (Marcos 5:24-29), y tú te encuentras en una situación muy parecida presionado por la prisa y la multitud de estos pensamientos espantosos. Aun así, ella extendió su dedo y tocó los flecos del manto del Señor, y quedó curada. Haz lo mismo. Jesús murió por aquellos que son *culpables de toda clase de pecados y blasfemias*. Basado en esta verdad, estoy seguro de que Él no rechazará a aquellos que son involuntariamente cautivos de los malos pensamientos. Ven delante de Él, con pensamientos y todo, y mira si Él no es lo suficientemente poderoso para salvar. Él puede acallar esos horribles susurros del Diablo, o puede permitirte verlos en su verdadera luz para que ya no te preocupen. A su manera, Jesús puede salvarte, y te salvará, y después de un tiempo te dará la paz perfecta. Sólo confía en Él para esto y para todo lo demás.

Esa forma de incapacidad que radica en una supuesta falta de poder para creer es tristemente desconcertante porque no somos ajenos al grito:

Oh, si pudiera creer,
entonces todo sería fácil;
Quisiera, pero no puedo; Señor, alivia,
Mi ayuda debe venir de ti.

Muchos permanecen en la oscuridad espiritualmente durante años porque dicen que no tienen poder, pero en realidad lo que tienen que hacer es renunciar a todo su propio poder y descansar en el poder de otro – el poder salvador de Jesucristo.

Es una cosa muy curiosa, todo este asunto de creer, porque la gente no obtiene mucha ayuda tratando de creer. Creer no viene por intentar. Si una persona hiciera una declaración sobre algo que ha sucedido hoy, no le diría que intentará creerle. Si creyera en la veracidad del hombre que me contó el incidente que vio, aceptaría instantáneamente lo que dijo. Si no creyera en la veracidad del hombre, no le creería, pero no habría ningún intento en el asunto. Ahora, cuando Dios declara que hay salvación en Cristo Jesús, debo creerle de inmediato, o hacerlo mentiroso. Seguramente no dudarás en cuanto a cuál es el camino correcto en este caso. El testimonio de Dios debe ser verdadero, y estamos obligados a creer en Jesús cuando escuchamos esta verdad.

Tal vez te hayas esforzado demasiado en creer. No te empeñes en tener una gran fe, sino confórmate con tener una fe que puedas sostener en tu mano con esta única verdad: *Porque cuando todavía éramos indefensos, en el momento oportuno Cristo murió por los impíos.* Puso su vida por nosotros cuando aún no creíamos en él, ni éramos capaces de creer en él. Murió por nosotros, no como creyentes, sino como pecadores. Vino a convertir a los pecadores en creyentes y santos, pero cuando murió por nosotros pudo ver que estábamos completamente sin fuerzas.

Si te aferras a la verdad de que Cristo murió por los impíos y lo crees, tu fe te salvará y podrás ir en paz. Si confías tu alma a Jesús, que murió por los impíos, aunque no puedas creerlo todo, ni mover montañas, ni hacer ninguna otra obra milagrosa, sigues siendo salvo. No es la gran fe, sino la verdadera fe la que salva, y la salvación no está en la fe, sino en el Cristo en quien la fe confía. La fe como un grano de mostaza traerá la salvación (Mateo 17:20). No es la medida de la fe sino la sinceridad de la fe lo que hay que considerar. Una persona puede creer con seguridad lo que sabe que es verdad, y como sabes que Jesús es verdadero, entonces amigo mío, puedes creer en Él.

La cruz que es el objeto de la fe es también, por el poder del Espíritu Santo, la causa de la misma. Siéntate y observa al Salvador moribundo hasta que la fe brote espontáneamente en tu corazón. Ningún lugar crea confianza como el Calvario. El aire de esa colina sagrada trae salud a la fe temblorosa. Muchos que miran a la cruz han dicho:

Mientras te veo, herido, afligido,
Sin aliento, en el árbol maldito,
[felizmente] sentiría que mi corazón cree
que sufriste así por mí

Otra persona dice: “Lamentablemente, mi falta de fuerza radica en que no puedo dejar mi pecado, y sé que no puedo ir al cielo y llevar mi pecado conmigo”.

Me alegro de que lo sepas, porque es cierto. Debes estar divorciado de tu pecado, o no puedes estar casado con Cristo. Mientras estaba en el campo de juego en un sábado, una pregunta se le ocurrió al joven John Bunyan: “¿Te aferrarás a tus pecados e irás al infierno, o dejarás tus pecados e irás al cielo?" Esta pregunta lo llevó a un punto muerto. Es una pregunta que todos tenemos que responder, porque no podemos seguir en el pecado e ir al cielo. Hay que dejar el pecado o dejar la esperanza. ¿Cuál es tu respuesta? "Sí, tengo suficiente voluntad, *pues el querer está presente en mí, pero el hacer el bien, no.* (Romanos 7:18). El pecado me domina, y no tengo fuerzas". Aunque no tengas fuerzas, recuerda que este versículo sigue siendo cierto, *pues mientras aún estábamos indefensos, en el momento oportuno Cristo murió por los impíos.* ¿Puedes seguir creyendo esto aunque otras cosas parezcan contradecirlo? La verdadera pregunta es, ¿lo creerás?

Dios lo ha dicho, y es un hecho. Por lo tanto, aférrate a esta verdad y no la sueltes, porque tu única esperanza está en la verdad de Dios. Cree esto - confía en Jesús, y pronto encontrarás el poder para matar tu pecado; pero aparte de Él, el hombre fuerte armado (el Diablo) te tendrá como su esclavo para siempre.

Personalmente, nunca podría haber superado mi pecaminosidad por mí mismo. Lo intenté y fracasé. Mis inclinaciones malvadas eran demasiadas hasta que, a través de la creencia de que Cristo murió por mí, eché mi alma culpable sobre Él. Cuando hice eso, recibí una verdad conquistadora por la cual vencí mi ser pecaminoso. La doctrina de la cruz puede ser usada para matar el pecado de la misma manera que los antiguos guerreros usaban sus enormes espadas de dos manos y acribillaban a sus enemigos con cada golpe. No hay nada como la fe en Jesús, porque vence todo el mal. Si Cristo murió por mí, impío como soy, sin fuerzas como soy, entonces no puedo seguir viviendo en el pecado, sino que debo despertarme para amar y servir a quien me ha redimido (Gálatas 3:13-14). No puedo coquetear con el mal que mató a mi mejor amigo, Jesús. Debo ser santo por Él, porque ¿cómo puedo vivir en el pecado cuando Él ha muerto para salvarme de él?

Mira qué maravillosa ayuda ofrece esto a los que no tienen fuerzas: saber y creer que en el momento oportuno Cristo murió por los impíos como tú. ¿Has aceptado ya este conocimiento?

Es difícil para nuestras mentes oscurecidas, prejuiciosas e incrédulas ver el corazón del evangelio (Efesios 4:18). A veces, mientras he estado predicando, he pensado que he expuesto el evangelio con tanta claridad que no podría ser más claro. Sin embargo, he percibido que incluso los oyentes inteligentes no han entendido lo que significaba *Volved a mí y sed salvos* (Isaías 45:22). Los que ya son creyentes suelen decir que no conocieron el evangelio hasta tal día, y sin embargo lo habían oído durante años. El evangelio es desconocido, no por falta de explicación sino por ausencia de revelación personal. El Espíritu Santo está dispuesto a dar esta revelación a quienes se lo pidan, y cuando se la da, la suma total de la verdad se revela dentro de estas palabras: Cristo murió por los impíos.

Otro lamento común que escucho es: "Mi debilidad es que una vez que me impresiona la Palabra el domingo, no parece que me mantenga en ese punto de vista. A lo largo de la semana, me encuentro con un compañero malvado y mis buenos sentimientos desaparecen. Mis compañeros de trabajo no creen en nada y dicen cosas tan terribles que no sé cómo responderles. Así que me encuentro derribado".

Comprendo muy bien la adaptación a situaciones nuevas como ésta, y tiemblo por personas así. Al mismo tiempo, si una persona así es realmente sincera, su debilidad puede ser satisfecha por la gracia divina. El Espíritu Santo puede expulsar el espíritu maligno del miedo al hombre y hacer valiente al cobarde. No debes permanecer en este estado vacilante, porque no te servirá de nada tener tan poca consideración de ti mismo. Ponte de pie y mírate bien. ¿Acaso estás destinado a ser como un sapo bajo una grada, temiendo por tu vida si te mueves o te quedas quieto? ¿No eres capaz de tener una opinión o acción independiente?

Yo haría muchas cosas para complacer a mis amigos, pero ir al infierno para complacerlos es más de lo que ofrecería o me prestaría hacer. Aunque puede mantenernos en buenos términos con nuestros semejantes, no vale la pena perder la amistad de Dios. Un hombre que lucha con esto puede decir: "Lo sé, pero aun así, aunque lo sé, no puedo encontrar el valor. No puedo mantenerme firme". Pues bien, de nuevo ofrezco el mismo versículo. *Porque cuando todavía estábamos indefensos, en el momento oportuno Cristo murió por los impíos.* Si Pedro estuviera aquí, diría: "El Señor Jesús murió por mí, aun cuando yo era una criatura tan pobre y débil que la criada que guardaba el fuego me hizo mentir y jurar que no conocía al Señor" (Marcos 14:66-72).

Sí, Jesús murió por los que lo abandonaron y huyeron. Agarrémonos firmemente a esta verdad: que Cristo murió por los impíos cuando aún no tenían fuerzas. Este es el camino para salir de tu cobardía. Mételo en el alma, "Cristo murió por mí", y pronto estarás listo para morir por Él. Créelo. Él sufrió en tu lugar y ofreció un pago completo, verdadero y satisfactorio por ti (1 Corintios 6:20). Si crees este hecho, te verás obligado a sentir que no puedes avergonzarte de Aquel que murió por ti.

La plena convicción de que esto es cierto te llenará de un coraje intrépido. Fíjate en los creyentes de los primeros tiempos del cristianismo, cuando este gran pensamiento del amor supremo de Cristo era vibrante y fresco en la iglesia. La gente no sólo estaba dispuesta a morir, sino que también estaba decidida a sufrir e incluso se presentaba por centenares ante los tribunales de los gobernantes, confesando a Cristo. No digo que fueran sabios al cortejar una muerte cruel; pero esto prueba mi punto, que un sentido del amor de Jesús eleva la mente por encima de todo temor de lo que el hombre puede hacernos. ¿Por qué no habría de producir el mismo efecto en ti? Es mi ruego que ahora te inspire una valiente resolución de mostrarte del lado del Señor y de ser su seguidor hasta el final.

Que el Espíritu Santo nos ayude a venir por la fe en el Señor Jesús, y de esta manera, todo irá bien.

Capítulo 10

El Incremento De La Fe

¿Cómo podemos obtener una mayor fe? Esta es una pregunta sincera para muchas personas, incluidos los apóstoles (Lucas 17:5). La gente quiere creer pero no puede. Se pueden encontrar muchas tonterías sobre este tema, así que seamos estrictamente prácticos al tratarlo. El sentido común es necesario en la religión tanto como en cualquier otra parte, así que empecemos con la pregunta: "¿Qué debo hacer para creer?"

Uno al que le preguntaron cuál era la mejor manera de hacer un determinado acto sencillo respondió que la mejor manera era hacerlo de una vez. Perdemos tiempo en discutir métodos cuando la acción es sencilla. El camino más corto para creer es creer. Si el Espíritu Santo te ha hecho estar abierto, creerás tan pronto como la verdad se ponga delante de ti. Lo creerás porque es verdad. El mandato del evangelio es claro. *Cree en el Señor Jesús, y serás salvo* (Hechos 16:31). Es inútil evitar esto con preguntas y objeciones porque la orden es clara. Por lo tanto, hay que obedecerla.

Si tienes una dificultad, quédate quieto y llévala ante Dios en oración (Salmo 46:10). Dile al gran Padre exactamente lo que te desconcierta y ruégale por su Espíritu Santo que lo resuelva. Si no puedo creer en una afirmación de un libro, no tengo inconveniente en ponerme en contacto con el autor y preguntarle qué quiere decir con ello. Si es un hombre sincero, su explicación me satisfará. ¿Cuánto más satisfará la explicación divina de los puntos difíciles de las Escrituras al corazón del verdadero buscador? El Señor está dispuesto a darse a conocer. Acude a Él y comprueba si no es así. Vete inmediatamente a tu armario de oración, y clama: "Oh Espíritu Santo, guíame a la verdad. Lo que no sé, enséñamelo Tú".

Además, si la fe parece difícil, es posible que Dios el Espíritu Santo te permita creer si escuchas con frecuencia y seriedad lo que se te ordena creer. Creemos muchas cosas porque las hemos escuchado con frecuencia. ¿No te parece que es así en la vida cotidiana? Si oyes algo cincuenta veces al día, ¿no llegas a creerlo?

Algunas personas han llegado a creer afirmaciones muy inverosímiles de esta manera. Por lo tanto, no me extraña que el buen Espíritu bendiga a menudo este método de oír frecuentemente la verdad y lo utilice para obrar la fe respecto a lo que hay que creer. Está escrito que *la fe viene del oír* (Romanos 10:17); por lo tanto, oye con frecuencia. Si escucho sinceramente y atentamente el evangelio, uno de estos días me encontraré creyendo lo que oigo, por la bendita operación del Espíritu de Dios en mi mente. Sólo asegúrate de oír el evangelio, y no distraigas tu mente ni con oír ni con leer cosas diseñadas para hacerte tambalear o tropezar.

A continuación, también te recomiendo que consideres el testimonio de otros. Los samaritanos creyeron por lo que la mujer del pozo les contó sobre Jesús. Muchas de nuestras creencias surgen del testimonio de otros. Yo creo que el país de Japón existe aunque nunca lo haya visto. Creo porque otros han estado allí. Creo que moriré, aunque nunca he muerto, porque muchas personas que conocí lo han hecho. Por lo tanto, tengo la convicción de que yo también moriré. El testimonio de muchos me convence de ello.

Del mismo modo, escucha a aquellos que te cuentan cómo fueron salvados, cómo fueron perdonados, cómo cambió su carácter. Si investigas el asunto, encontrarás que alguien como tú ha sido salvado. Si has vivido como un ladrón, encontrarás a un ladrón que se alegró de lavar su pecado en la fuente de la sangre de Cristo. Si has vivido una vida inmoral, encontrarás que hombres y mujeres que han caído de esa manera ahora son limpiados y cambiados. Si estás en depresión, sólo indaga un poco entre el pueblo de Dios y descubrirás creyentes que han luchado con la depresión de la misma manera a veces, y se complacerán en contarte cómo el Señor los liberó. Al escuchar un relato tras otro de quienes han probado la Palabra de Dios y la han comprobado, el Espíritu divino te llevará a creer.

¿Has oído hablar del africano al que el misionero le dijo que el agua a veces se vuelve tan dura que un hombre puede caminar sobre ella? El africano declaró que creía en muchas cosas que le dijo el misionero, pero que nunca creería eso. Cuando llegó a Inglaterra, sucedió que un día de helada vio el río congelado, pero no quiso aventurarse en él. Sabía que era un río profundo y estaba seguro de que se ahogaría si se arriesgaba. No se atrevió a adentrarse en el agua helada hasta que su amigo y muchos otros salieron a la superficie helada. Al ver a otros aventurarse con seguridad en el hielo, se convenció y confió en que podría hacer lo mismo. Así, al ver a otros creer en el Cordero de Dios y detectar su alegría y su paz, se verá suavemente llevado a creer. La experiencia de los demás es una de las maneras que tiene Dios de ayudarnos a la fe. O crees en Jesús y recibes la vida o sigues muerto espiritualmente en tu pecado. No hay esperanza para ti sino en Él.

He aquí una idea aún mejor: toma nota de la autoridad por la que se te ordena creer y te ayudará significativamente a tener fe. La autoridad no es la mía, o también podrías rechazarla. Pero se te ordena creer con la autoridad de Dios mismo. Él te dice que creas en Jesucristo (Hechos 16:31), y no debes negarte a obedecer a tu Creador.

El capataz de cierta empresa había escuchado a menudo el evangelio, pero estaba preocupado por el temor de no conocer verdaderamente a Cristo. Un día recibió una nota de su buen jefe que decía: "Ven a mi casa inmediatamente después del trabajo". El capataz se presentó en la puerta de su jefe y éste salió y le dijo con cierta aspereza: "¿Qué quieres, Juan, molestando a estas horas? El trabajo está hecho; ¿qué derecho tienes a venir aquí?".

"Señor", dijo, "he recibido una tarjeta suya diciendo que debía venir aquí después del trabajo".

"¿Quiere decir que sólo por haber recibido una tarjeta mía tiene derecho a venir a mi casa y visitarme fuera del horario de trabajo?"

"No entiendo lo que quiere decir", respondió el capataz. "Me parece que, puesto que usted me mandó llamar, tenía derecho a venir".

"Entra, Juan", dijo su jefe. "Tengo otro mensaje que quiero leerte". Los dos entraron y él se sentó y leyó estas palabras de la Biblia: *Venid a mí, todos los que estáis cansados y cargados, y yo os haré descansar* (Mateo 11:28). Su jefe le miró y le dijo: "¿Crees que después de semejante mensaje de Cristo puedes equivocarte al venir a Él?". El pobre capataz lo vio al instante y creyó en el Señor Jesús para la vida eterna, porque finalmente comprendió que tenía una buena razón y autoridad para creer. Y tú también. Tienes buena autoridad para venir a Cristo, porque el mismo Señor te dice que confíes en Él.

Si eso no produce fe en ti, piensa en lo que debes creer: que el Señor Jesucristo sufrió en lugar de los pecadores y es capaz de salvar a todos los que confían en Él. Este es el hecho más bendito que se le ha dicho a la gente que crea. Es la verdad más agradable, más reconfortante y más divina que jamás se haya presentado ante las mentes mortales. Les aconsejo que piensen mucho en ella y que busquen la gracia y el amor que contiene. Estudien los cuatro Evangelios, estudien las epístolas de Pablo, y vean si el mensaje no es tan creíble que se ven obligados a creerlo.

Si eso no te convence, entonces piensa en la persona de Jesucristo. Piensa en quién es, qué hizo, dónde está y qué es. ¿Cómo puedes dudar de Él? Es una falta de corazón desconfiar del siempre veraz Jesús. Él no ha hecho nada para merecer la desconfianza. Al contrario, debería ser fácil para nosotros confiar en Él. ¿Por qué crucificarlo de nuevo con incredulidad? ¿No es esto como coronarle de espinas y escupirle de nuevo? ¿Por qué no se puede confiar en Él? Los soldados lo convirtieron en un mártir, pero tú, por tu incredulidad, lo conviertes en un mentiroso; esto es mucho peor. No preguntes: "¿Cómo puedo creer?". Más bien pregunta: "¿Cómo puedo no creer?".

Si ninguna de estas cosas te lleva a la verdad, entonces algo está totalmente mal. Mi último consejo es que te sometas a Dios. Eres un rebelde, un rebelde orgulloso, y por eso no crees en tu Dios. El prejuicio o el orgullo están en el fondo de tu incredulidad. Que el Espíritu de Dios te quite tu oposición hacia Él y te haga rendirte a Él. Abandona tu rebeldía, baja tus defensas, cede tu voluntad y ríndete a tu Rey. Cuando un alma levanta las manos sin esperanza y clama: "Señor, me rindo", en poco tiempo la fe se vuelve fácil.

La razón por la que no puedes creer es porque todavía tienes una disputa con Dios y una determinación de tener tu propia voluntad y tu propio camino. Cristo dijo: ¿Cómo podéis creer, cuando recibís gloria los unos de los otros? (Juan 5:44). Un yo orgulloso crea incredulidad. Sométanse - sométanse a su Dios y creerán placenteramente en su Salvador. Ruego que el Espíritu Santo trabaje ahora de forma secreta pero eficaz dentro de ti, y en este mismo momento te lleve a creer en el Señor Jesús. Amén.

Capítulo 11

La Regeneración y el Espíritu Santo

El que no nace de nuevo no puede ver el reino de Dios (Juan 3:3). Esta palabra de nuestro Señor Jesús parece una llama que bloquea el camino de muchos, como la espada desenvainada del querubín a la puerta del paraíso (Génesis 3:24). Tales personas se han desesperado, porque este cambio está más allá de lo que pueden hacer en su propio esfuerzo. El nuevo nacimiento es de lo alto y por lo tanto no está en el poder del hombre. Ahora bien, es lo más alejado de mi mente negar o alguna vez ocultar una verdad para crear una falsa sensación de comodidad. Admito libremente que el nuevo nacimiento es sobrenatural, y que no puede ser obrado por los propios esfuerzos del pecador. Si fuera lo suficientemente malvado como para tratar de animarte persuadiéndote a rechazar u olvidar lo que es incuestionablemente cierto, tal ayuda sería defectuosa.

Pero, ¿no es sorprendente que el mismo capítulo en el que nuestro Señor hace esta declaración tan amplia contenga también la declaración más explícita en cuanto a la salvación por la fe? Lee el tercer capítulo del evangelio de Juan y no te quedes sólo con sus primeras frases. Es cierto que el tercer versículo dice: *"Respondió Jesús y le dijo: En verdad, en verdad te digo que el que no nace de nuevo no puede ver el reino de Dios"*. Pero luego, los versículos catorce y quince continúan diciendo: *Como Moisés levantó la serpiente en el desierto, así es necesario que sea levantado el Hijo del Hombre, para que todo aquel que cree, tenga en Él vida eterna*. Luego el versículo 18 repite la misma doctrina en los términos más amplios:

> *El que cree en Él no es condenado; pero el que no cree, ya ha sido condenado, porque no ha creído en el nombre del unigénito Hijo de Dios.*

Está claro que estas dos afirmaciones deben coincidir, ya que salieron de los mismos labios, y están registradas en el mismo capítulo inspirado. ¿Por qué crear una dificultad donde no existe? Si una declaración nos asegura la necesidad de la salvación como algo que sólo Dios puede dar, y si otra nos asegura que el Señor nos salvará al creer en Jesús, entonces podemos concluir con seguridad que el Señor dará a los que creen todo lo que se declara como esencial para la salvación. De hecho, el Señor produce el nuevo nacimiento en todos los que creen en Jesús, y su fe es la evidencia más segura de que han nacido de nuevo.

Confiamos en Jesús porque no podemos hacerlo nosotros mismos. Si estuviera en nuestro poder, ¿qué necesidad tendríamos de recurrir a Él? Es nuestra parte creer, y es la parte del Señor crearnos de nuevo. Él no creerá por nosotros, y nosotros no debemos hacer el trabajo de regeneración por Él. Basta con que obedezcamos el mandato de gracia, y es Dios quien obrará el nuevo nacimiento en nosotros (Filipenses 2:13). Aquel que llegó a morir en la cruz por nosotros puede y nos dará todo lo que necesitamos para nuestra seguridad eterna.

El cambio de corazón que salva es obra del Espíritu Santo (Tito 3:5), así que no te aventures a cuestionarlo u olvidarlo. La obra del Espíritu Santo es secreta y misteriosa y sólo puede percibirse por sus resultados. Los misterios sobre nuestro nacimiento natural podrían ser una curiosidad secular para indagar, y eso es aún más el caso de las obras sagradas del Espíritu de Dios. *El viento sopla donde quiere, y oyes su sonido, pero no sabes de dónde viene ni adónde va; así es todo aquel que es nacido del Espíritu* (Juan 3:8). Sin embargo, esto sí lo sabemos: la misteriosa obra del Espíritu Santo no puede ser una razón para negarse a creer en Jesús, de quien ese mismo Espíritu da testimonio.

Por ejemplo, si a una persona se le pidiera que sembrará semillas en un campo y no lo hiciera, no podría excusar su negligencia diciendo: "Sería inútil sembrar si Dios no hiciera crecer la semilla". En otras palabras, no estaría justificado por ignorar el arado porque sólo la energía secreta de Dios puede crear una cosecha.

Nadie se ve obstaculizado en las actividades ordinarias de la vida. La Escritura dice que Si el Señor no edifica la casa, en vano trabajan los que la edifican, pero fíjate que sí trabajan (Salmo 127:1). Los que creen en Jesús encontrarán que el Espíritu Santo nunca se niega a trabajar en ellos. De hecho, su fe es la prueba de que el Espíritu ya está trabajando en su corazón.

Dios trabaja en la providencia, preparando el futuro, pero el hecho de que lo haga no significa que la gente deba quedarse quieta y no hacer nada. Sin el poder divino de Dios que les da vida y fuerza, no podrían moverse, y sin embargo siguen su camino sin considerar el poder que Dios les concede día a día - Aquel en cuya mano está su aliento y todos sus caminos. Lo mismo sucede en la gracia. Nos arrepentimos y creemos, pero si el Señor no nos capacita, no podríamos hacer ninguna de las dos cosas. Abandonamos el pecado y confiamos en Jesús, y entonces reconocemos que *Dios es quien obra en nosotros tanto el querer como el hacer, para su beneplácito* (Filipenses 2:13). Es inútil pretender que haya alguna dificultad real en el asunto.

Algunas verdades que son difíciles de explicar con palabras son bastante simples en la experiencia real. No existe ninguna discrepancia entre la verdad que el pecador cree y que su fe funciona en él por el Espíritu Santo. Sólo la necedad puede llevar a las personas a confundirse sobre asuntos sencillos mientras sus almas están en peligro. Nadie se negaría a entrar en un bote salvavidas porque no entendía el peso específico de los cuerpos. Tampoco un hombre hambriento se negaría a comer hasta que entendiera todo el proceso de la nutrición.

Si no crees hasta que puedas entender todos los misterios de la fe, nunca serás salvo. Y si permites que las dificultades inventadas por ti mismo te impidan aceptar el perdón a través de tu Señor y Salvador, morirás condenado, lo cual será totalmente merecido. No te suicides espiritualmente por la pasión de discutir sutilezas abstractas.

Capítulo 12

Yo Se Que Mi Redentor Vive

Les he hablado continuamente de Cristo crucificado, que es la gran esperanza de los culpables, pero es conveniente recordar que nuestro Señor ha resucitado de entre los muertos y vive eternamente. No se te pide que confíes en un Jesús muerto, sino en Uno que, aunque murió por nuestros pecados, ha resucitado para nuestra justificación. Puedes acudir a Jesús como a un amigo vivo y presente. No es sólo un recuerdo, sino una persona continuamente presente que escuchará tus oraciones y las responderá. Vive intencionadamente para llevar a cabo la obra por la que un día entregó su vida. Intercede por los pecadores a la derecha del Padre y, por eso, puede salvar a los que se acercan a Dios por Él. Ven y experimenta a este Salvador vivo, si nunca lo has hecho antes.

Este Jesús vivo también es elevado a una reconocida gloria y poder. No se lamenta ni sufre como un hombre humilde ante sus enemigos, ni trabaja como el hijo del carpintero. Por el contrario, es exaltado *muy por encima de todo principado, autoridad, poder, dominio y de todo nombre que se nombra* (Efesios 1:21). El Padre le ha dado todo el poder en el cielo y en la tierra, y ejerce este importante atributo al llevar a cabo su obra de gracia. Escucha lo que Pedro y los otros apóstoles testificaron acerca de Él ante el sumo sacerdote y el concilio:

> *El Dios de nuestros padres resucitó a Jesús, a quien vosotros habíais matado colgándole en una cruz. A este Dios exaltó a su diestra como Príncipe y Salvador, para dar arrepentimiento a Israel, y perdón de pecados* (Hechos 5:30-31).

La gloria que rodea al Señor ascendido debería infundir esperanza en el corazón de todo creyente. Jesús no es una persona normal, es un Salvador y uno grande. Es el Redentor coronado y entronado de los hombres. El derecho soberano sobre la vida y la muerte le ha sido conferido. El Padre lo ha hecho Mediador de todos los hombres bajo el gobierno mediador del Hijo, para que pueda hacer vivir a quien quiera. *El que abre y nadie cierra, y cierra y nadie abre* (Apocalipsis 3:7). El alma que está atada por las cuerdas del pecado y la condenación puede ser desatada por Su Palabra en un momento. Él extiende el poder de la verdad y quien la toca vive. Es bueno para nosotros que así como el pecado vive, la carne vive, y el Diablo vive - así Jesús vive. También es bueno saber que cualquier poder que estos puedan tener para arruinarnos, Jesús tiene aún mayor poder para salvarnos.

Toda Su exaltación y capacidad son por cuenta nuestra. Él es exaltado "para ser" y "para dar". Él es exaltado para ser un Príncipe y Salvador para que pueda dar todo lo que se necesita para lograr la salvación de todos los que vienen bajo Su dominio. Jesús no retiene nada - no hay nada que no vaya a usar para la salvación de un pecador y nada que no vaya a usar para mostrar su gracia desbordante. Él vincula su posición como Príncipe con su condición de Salvador, como si no pudiera tener lo uno sin lo otro. Establece Su exaltación, que está diseñada para traer bendiciones a la gente, como si fuera la flor y la corona de Su gloria. ¿Podría haber algo más calculado para elevar las esperanzas de los pecadores que buscan a Cristo?

Jesús soportó una gran humillación. Debido a esto, hubo espacio para que Él fuera exaltado. Por esa humillación, Él cumplió y soportó toda la voluntad del Padre y fue recompensado al ser elevado a la gloria. Él utiliza esa exaltación a favor de su pueblo. Alza tus ojos a estos montes de gloria, de donde debe venir tu ayuda (Salmo 121:1). Contempla las altas glorias del Príncipe y Salvador. ¿No es muy prometedor para la gente que un Hombre esté ahora en el trono del universo? ¿No es glorioso que el Señor de todos sea el Salvador de los pecadores? Tenemos un amigo en la corte de Dios, un amigo en el trono. Él usará toda su influencia para aquellos que confían sus preocupaciones a sus manos. Uno de nuestros poetas, Isaac Watts, lo canta muy bien en el himno "Él siempre vive para interceder ante el rostro de su Padre":

Siempre vive para interceder
ante el rostro de su Padre:
Dale, alma mía, tu causa para interceder,
Sin duda la gracia del Padre.

Amigo, encomienda tu causa y tu caso a esas manos que una vez fueron perforadas, y que ahora están glorificadas con los anillos del sello del poder y el honor reales. Ningún caso que se dejara en manos de este gran abogado ha fracasado jamás.

Capítulo 13

El Arrepentimiento Debe Ir Con El Perdón

Está claro, por los versículos que ya hemos visto, que el arrepentimiento está ligado al perdón de los pecados. En Hechos 5:31 leemos que Jesús *es exaltado... como Príncipe y Salvador, para conceder el arrepentimiento a Israel y el perdón de los pecados.* Estas dos bendiciones provienen de esa mano sagrada que una vez estuvo clavada en la cruz, pero que ahora ha sido elevada a la gloria. El arrepentimiento y el perdón están unidos por el propósito eterno de Dios. ¿Qué diremos, entonces? ¿Continuaremos en pecado para que la gracia abunde? ¡De ningún modo! Nosotros, que hemos muerto al pecado, ¿cómo viviremos aún en él? (Romanos 6:1-2).

El arrepentimiento debe ir acompañado del perdón. Si piensas un poco en esto, verás que es así. El perdón del pecado no puede ser dado a un pecador no arrepentido. Esto lo asentaría en sus malos caminos y le enseñaría a no pensar en el mal. Si el Señor dijera: "Amas el pecado y vives en él, y vas de mal en peor, pero, de todos modos, te perdono", esto proclamaría una horrible licencia para la maldad. Los fundamentos del orden social serían eliminados y el desorden moral seguiría. No puedo comenzar a decirles qué innumerables maldades ocurrirían ciertamente si el arrepentimiento pudiera separarse del perdón y se pudiera pasar por alto el pecado mientras el pecador siguiera tan aficionado a él como siempre.

Como es de esperar, si creemos en la santidad de Dios pero continuamos en nuestro pecado y no nos arrepentimos de él, no podemos ser perdonados sino que debemos cosechar las consecuencias de nuestra obstinación. De acuerdo con la infinita bondad de Dios, se nos promete que si abandonamos nuestros pecados y los confesamos y por fe aceptamos la gracia provista en Cristo Jesús, Dios es fiel y justo para perdonar nuestros pecados, y limpiarnos de toda maldad (1 Juan 1:9). Pero, mientras Dios viva, no puede haber ninguna promesa de misericordia para aquellos que continúan en sus malos caminos y se niegan a reconocer su maldad. Ciertamente, ningún rebelde puede esperar que el rey perdone su traición mientras siga en abierta rebelión. Nadie puede ser tan insensato como para imaginar que el juez de toda la tierra perdonará nuestros pecados si nosotros mismos nos negamos a dejarlos de lado.

Así debe ser para la plenitud de la misericordia divina. La misericordia que perdona el pecado y sigue dejando que el pecador viva en él sería limitada y superficial. Sería una misericordia pervertida e insatisfactoria. ¿Cuál crees que es el mayor beneficio, la limpieza de la culpa del pecado o la liberación del poder del pecado? No intentaré sopesar en la balanza dos misericordias tan superadoras. Ninguna de ellas podría llegar a nosotros sin la preciosa sangre de Jesús. Pero, si hay que hacer una comparación, me parece que ser liberado del dominio del pecado, ser hecho santo, ser hecho como Dios, debe ser considerado el mayor de los dos. Ser perdonado es un favor sin medida.

Esta es una de las primeras notas de nuestro salmo de alabanza: *El que perdona todas tus iniquidades* (Salmo 103:3). Pero si pudiéramos ser perdonados y luego se nos permitiera amar el pecado, rebelarnos en la iniquidad y revolcarnos en la lujuria, ¿de qué serviría ese perdón? ¿No se convertiría tal perdón en un dulce veneno que nos destruiría eficazmente? Ser lavados y aún estar en el lodo y el fango, ser declarados limpios y aún tener lepra sería la mayor burla a la misericordia. ¿De qué sirve sacar al hombre de su sepulcro si lo dejas muerto? ¿Para qué llevarlo a la luz si sigue ciego?

Damos gracias a Dios porque el que perdona nuestros pecados también cura nuestras enfermedades. El que lava las manchas del pasado también nos levanta de los malos caminos del presente y evita que fallemos en el futuro. Debemos aceptar con alegría tanto el arrepentimiento como la disminución de la gravedad o intensidad de nuestro pecado actual. No pueden separarse uno del otro. La herencia prometida es una e indivisible y no debe ser repartida. Dividir la obra de la gracia sería cortar en dos al hijo vivo (1 Reyes 3:25). Aquellos que permitirían esto no tienen ningún interés en ello.

Mientras buscas al Señor, te pregunto si estarías satisfecho con sólo una de estas misericordias. ¿Estarías contento si Dios perdonara tu pecado y luego te permitiera ser tan mundano y malvado como antes? No. El espíritu nacido de nuevo tiene más miedo del pecado mismo que del castigo que resulta de él. El grito de tu corazón ya no será: "¿Quién me librará del castigo?", sino: *¡Miserable de mí! ¿Quién me libertará de este cuerpo de muerte?* (Romanos 7:24). Puesto que el arrepentimiento está relacionado con una disminución del pecado, que resulta de un deseo que procede de la gracia divina, y puesto que es necesario para la plenitud de la salvación y para la santidad, puedes estar seguro de que continuará permanentemente.

El arrepentimiento y el perdón están unidos en la experiencia de todos los verdaderos creyentes. Nunca ha habido una persona que se haya arrepentido sinceramente del pecado con un arrepentimiento *sincero* que no haya sido perdonada. Por otra parte, nunca ha habido una persona perdonada que no se haya arrepentido de su pecado. No dudo en decir que bajo el cielo nunca hubo, hay o habrá ningún pecado lavado, a menos que el corazón sea llevado al arrepentimiento y a la fe en Cristo al mismo tiempo. El odio al pecado y el sentido del perdón vienen juntos al alma y permanecen juntos mientras vivimos.

Estas dos cosas actúan y reaccionan entre sí. El hombre que es perdonado, por lo tanto, se arrepiente, y el hombre que se arrepiente también es seguramente perdonado. Pero recuerda que el perdón es lo primero y lo que lleva al arrepentimiento. Como cantamos en las palabras de Joseph Hart:

> *La ley y los terrores no hacen más que endurecer,*
> *mientras trabajan solos;*
> *Pero el sentido del perdón comprado con sangre*
> *pronto disuelve un corazón de piedra.*

Cuando estamos seguros de ser perdonados, entonces aborrecemos el pecado. Y supongo que cuando la fe crece hasta llegar a la plena seguridad, y nos encontramos seguros, más allá de toda duda, de que la sangre de Jesús nos ha lavado más blanco que la nieve, es entonces cuando el arrepentimiento alcanza su mayor altura. El arrepentimiento crece a medida que crece la fe. No te equivoques al respecto. El arrepentimiento no es algo marcado por días y semanas. No es una penitencia temporal que debe terminar lo más rápido posible. No. Es la gracia de toda una vida, como la fe misma. Los hijos pequeños de Dios se arrepienten, y también los jóvenes y los padres (1 Juan 2:13). El arrepentimiento es el compañero inseparable de la fe. Mientras caminamos por la fe y no por la vista, la lágrima del arrepentimiento brilla en el ojo de la fe. El arrepentimiento que no proviene de la fe en Jesús no es verdadero arrepentimiento, y no es verdadera fe en Jesús si no está teñida de arrepentimiento.

La fe y el arrepentimiento están vitalmente unidos. Nos arrepentimos en proporción a nuestra fe en el amor perdonador de Cristo, y nos alegramos de la plenitud de la absolución que Jesús se honra en conceder en proporción a nuestro arrepentimiento y odio al pecado y al mal. Nunca valorarás el perdón a menos que sientas el arrepentimiento, y nunca probarás el trago más profundo del arrepentimiento hasta que te sepas perdonado. Esto puede parecer extraño, pero es cierto. La amargura del arrepentimiento y la dulzura del perdón se mezclan en el sabor de toda vida llena de gracia y producen una felicidad incomparable.

Estos dos dones del pacto se garantizan mutuamente. Si sé que me arrepiento, sé que soy perdonado. ¿Cómo voy a saber que soy perdonado si no sé que me he apartado de mi anterior camino de pecado? Ser creyente es estar arrepentido. La fe y el arrepentimiento son dos radios de la misma rueda, dos mangos del mismo arado. El arrepentimiento ha sido descrito como un corazón roto por el pecado y desde el pecado. Del mismo modo, se puede hablar de él como un alejamiento del pecado y un retorno a Dios. Es un cambio de mentalidad del tipo más profundo y radical, y va unido al dolor por el pasado y a la determinación de cambiar en el futuro.

El arrepentimiento es dejar
los pecados que antes amábamos
Y mostrar qué nos afligimos en serio,
al no hacerlo más.

Cuando ese es el caso, podemos estar seguros de que somos perdonados, porque Dios nunca hizo que un corazón se quebrara a causa del pecado y se rompiera por el pecado, sin perdonarlo. Por otra parte, si estamos disfrutando del perdón por medio de la sangre de Jesús, y somos justificados por la fe, y tenemos paz con Dios por medio de Jesucristo nuestro Señor, sabemos que nuestro arrepentimiento y nuestra fe son del tipo correcto.

No pienses en tu arrepentimiento como la causa de tu perdón, sino como su acompañante. No esperes poder arrepentirte hasta que veas la gracia de nuestro Señor Jesús, y su disposición a borrar tu pecado. Mantén estas cosas benditas en su lugar apropiado. Míralas en su relación con las demás. Son los pilares de una experiencia salvadora. Ningún hombre llega correctamente a Dios a menos que pase entre los pilares del arrepentimiento y el perdón. El arco iris de la gracia prometida por Dios sobre tu corazón se despliega en toda su belleza cuando las gotas de lágrimas del arrepentimiento son iluminadas por la luz del perdón pleno. El arrepentimiento del pecado y la fe en el perdón divino se entretejen en el tejido de la verdadera conversión. Por estas demostraciones conocerás con seguridad a un creyente.

Cuando miramos de nuevo la Escritura en la que hemos estado meditando, vemos que el perdón y el arrepentimiento fluyen de la misma fuente y son dados por el mismo Salvador. El Señor Jesús, en Su gloria, otorga ambos a la misma persona. No vas a encontrar el perdón ni el arrepentimiento en otra parte. Jesús tiene ambos listos y está preparado para concederlos ahora - para darlos libremente a todos los que los acepten de Sus manos.

No olvides nunca que Jesús da todo lo que necesitamos para nuestra salvación. Es sumamente importante que todos los que buscan la misericordia lo recuerden. La fe es tanto un don de Dios como el Salvador en el que esa fe se apoya. El arrepentimiento del pecado es, en realidad, la obra de la gracia, como la realización de una expiación por la que se borra el pecado. La salvación, desde el principio hasta el final, es sólo por gracia (Efesios 2:8). No me malinterpreten. No es el Espíritu Santo quien se arrepiente. El Espíritu Santo nunca ha hecho nada por lo que deba arrepentirse. Si pudiera arrepentirse, no sería adecuado para la situación, porque debemos arrepentirnos de nuestro propio pecado. Si no lo hacemos, no nos salvamos de su poder.

Tampoco es el Señor Jesucristo quien se arrepiente. ¿De qué se arrepentiría Él? Somos nosotros quienes debemos arrepentirnos con la plena aprobación de cada facultad de nuestra mente. La voluntad, las pasiones y las emociones trabajan todas juntas de todo corazón en el bendito acto de arrepentimiento del pecado. Detrás de todo ello está la santa influencia sobre nuestra conducta personal, que derrite el corazón, produce vergüenza y arrepentimiento, y produce un cambio completo. El Espíritu de Dios nos ilumina para ver lo que es el pecado y lo hace detestable a nuestros ojos.

El Espíritu de Dios también nos orienta hacia la santidad y nos hace apreciarla, amarla y desearla de todo corazón. De esta manera, el Espíritu Santo nos motiva y conduce de etapa en etapa de la santificación. El Espíritu de Dios *es quien obra en vosotros tanto el querer como el hacer, para su beneplácito* (Filipenses 2:13).

Sometámonos inmediatamente a su buen Espíritu, para que nos conduzca a Jesús, quien nos dará gratuitamente la doble bendición del arrepentimiento y del perdón, según las riquezas de su gracia.

"POR GRACIA HAN SIDO SALVADOS".

Capítulo 14

¿Cómo Se Da El Arrepentimiento?

Para este capítulo, volveremos a Hechos 5:31: *A este Dios exaltó a su diestra como Príncipe y Salvador, para dar arrepentimiento a Israel, y perdón de pecados.* Nuestro Señor Jesucristo ha subido al cielo para que la gracia descienda a nosotros. Su gloria está ocupada en dar mayor recepción a su gracia. La razón por la que el Señor ha dado un paso hacia arriba es por Su plan de llevar a los pecadores creyentes al cielo con Él. Él es exaltado en lo alto para dar arrepentimiento, y veremos esto por nosotros mismos si recordamos algunas grandes verdades.

La obra que nuestro Señor Jesús ha realizado ha hecho que el arrepentimiento sea posible, disponible y aceptable. La ley no menciona el arrepentimiento, pero dice claramente, *El alma que peque, esa morirá* (Ezequiel 18:20). Si el Señor Jesús no hubiera muerto y resucitado y se hubiera ido al Padre, ¿de qué valdría el arrepentimiento? Podríamos sentir remordimiento con sus angustias, pero nunca arrepentimiento con su esperanza renovada. El arrepentimiento como sentimiento natural solamente es una obligación cotidiana que no merece grandes elogios. Por lo general, está tan mezclado con un temor egoísta al castigo, que la valoración más bondadosa le da poca importancia. Si Jesús no hubiera intervenido y elaborado un cúmulo de méritos, nuestras lágrimas de arrepentimiento no serían más que agua derramada en el suelo. Jesús está exaltado en lo alto del cielo, por lo que, gracias a la bondad moral de su intercesión, el arrepentimiento puede tener cabida ante Dios. En este sentido, Él nos da el arrepentimiento, porque pone el arrepentimiento en una posición de aceptación, que de otra manera nunca podría haber ocupado.

Cuando Jesús fue exaltado a lo alto, el Espíritu de Dios fue derramado para obrar todas las gracias necesarias en nosotros. El Espíritu Santo crea el arrepentimiento en nosotros renovando sobrenaturalmente nuestra naturaleza y quitando el corazón de piedra de nuestra carne (Ezequiel 36:26). No estás sentado ahí esforzándote por reunir lágrimas inalcanzables. El arrepentimiento no proviene de una naturaleza reacia, sino de la gracia libre y soberana. No vayas a tu habitación a golpearte el pecho en un intento de convocar sentimientos que no existen en un corazón de piedra. Más bien, ve al Calvario y mira cómo murió Jesús. Mira a las colinas de donde viene tu ayuda (Salmo 121:1). El Espíritu Santo ha venido a propósito para ensombrecer el espíritu del hombre y producir en Él el arrepentimiento, así como una vez sacó el orden del caos. Hazle tu oración: "Espíritu bendito, habita en mí. Hazme tierno y humilde de corazón, para que pueda odiar el pecado y arrepentirme sinceramente de él". Él escuchará tu clamor y te responderá.

Recuerda que cuando nuestro Señor Jesús fue exaltado, no sólo nos dio el arrepentimiento enviando el Espíritu Santo, sino que también consagró todas las obras de la naturaleza y de la providencia para lograr nuestra salvación. Así que cualquiera de ellas puede llamarnos al arrepentimiento, ya sea que canten como el gallo de Pedro o que sacudan la prisión como el terremoto del carcelero (Hechos 16:26). Desde la diestra de Dios, nuestro Señor Jesús gobierna todas las cosas aquí en la tierra y las hace trabajar juntas para la salvación de sus redimidos. Él usa tanto lo amargo como lo dulce, las pruebas y las alegrías, para poder producir una mejor conciencia en la mente de los pecadores hacia su Dios.

Da gracias a Dios por la preparación oportuna de los acontecimientos futuros que te hacen pobre, o enfermo, o triste, porque con todo esto, Jesús está trabajando en la vida de tu espíritu y te vuelve a Él. La misericordia del Señor llega a menudo a la puerta de nuestros corazones en el caballo negro de la aflicción. Jesús utiliza toda la gama de nuestras experiencias para destetarnos de este mundo y cortejarnos hacia el cielo. Cristo es exaltado al trono de los cielos y de la tierra para que, mediante los cursos de acción de su providencia, pueda someter a los corazones duros y llevarles al bondadoso ablandamiento del arrepentimiento.

Más aún, Él está trabajando ahora mismo por medio de todos Sus susurros en la conciencia, por Su Palabra inspirada, por aquellos de nosotros que hablamos el mensaje de la Biblia, y por amigos que oran con corazones sinceros. Él puede enviarte una palabra que golpee tu corazón rocoso como con la vara de Moisés y haga brotar arroyos de arrepentimiento (Éxodo 17:6). De la Sagrada Escritura, Él puede traer a tu mente algún texto desgarrador que te vencerá de inmediato. Él puede ablandar misteriosamente tu corazón, y cuando menos lo esperes hacer que un estado de ánimo santo se apodere de ti.

Puedes estar seguro de esto: Jesús, que ha entrado en su gloria y ha sido elevado a todo el esplendor y majestad de Dios, tiene abundantes maneras de obrar el arrepentimiento en aquellos a quienes concede el perdón. Incluso ahora, Él está esperando para darte el arrepentimiento a ti. Pídelo ahora.

Fíjate en el consuelo que da este arrepentimiento del Señor Jesucristo a las personas más inverosímiles del mundo. *A este Dios exaltó a su diestra como Príncipe y Salvador, para dar arrepentimiento a Israel, y perdón de pecados* (Hechos 5:31). ¡A Israel! En los días en que los apóstoles hablaban así, Israel era la nación que había pecado más gravemente contra la luz y el amor, al atreverse a decir, ¡Caiga su sangre sobre nosotros y sobre nuestros hijos! (Mateo 27:25). Sin embargo, Jesús es elevado a una posición para darles el arrepentimiento. ¡Qué maravilla de gracia!

Si has sido educado en la más brillante de las luces cristianas y aún así la has rechazado, todavía hay esperanza. Si has pecado contra la conciencia y contra el Espíritu Santo, y contra el amor de Jesús, todavía hay lugar para el arrepentimiento. Aunque seas tan duro de corazón e incrédulo como el Israel de antaño, todavía puede llegar a ti el ablandamiento de tu corazón, ya que Jesús está exaltado y revestido de un poder ilimitado. Para los que se han adentrado en el pecado y han pecado de lo peor, el Señor Jesús todavía puede darles el arrepentimiento y el perdón de los pecados. Estoy feliz de tener un evangelio tan completo para proclamar, y ustedes son bendecidos por poder leerlo.

El corazón de los hijos de Israel se había endurecido como la piedra. Martín Lutero pensaba que era imposible convertir a un judío. Aunque no estamos de acuerdo con él en esto, debemos admitir que los hijos de Israel han sido sumamente obstinados en su rechazo al Salvador a lo largo de los siglos. Con razón dijo el Señor Jesús a los judíos: *Os lo he dicho, y no creéis* (Juan 10:25). *Vino a los suyos, y los suyos no le recibieron* (Juan 1:11). Sin embargo, nuestro Señor Jesús es exaltado en nombre de Israel por dar el arrepentimiento y el perdón. Pero muchos gentiles tienen un corazón igualmente obstinado, que se ha mantenido en contra del Señor Jesús por años, sin embargo en tal corazón nuestro Señor todavía puede obrar el arrepentimiento. Cuando esto sucede, puedes unir tu voz a la de William Hone después de que se rindió al amor divino. Si bien una vez fue un incrédulo de corazón firme, una vez que su corazón fue subyugado por la gracia soberana, escribió:

El corazón más orgulloso que jamás haya latido
Ha sido sometido en mí;
La voluntad más salvaje que jamás se haya levantado,
para despreciar tu causa y ayudar a tus enemigos,
es sofocada, Dios mío, por Ti.

Hágase tu voluntad y no la mía,
Mi corazón sea siempre tuyo;
Confesando a Ti, la poderosa Palabra,
Te aclamo, Cristo, mi Dios, mi Señor,
y hago de tu nombre mi sello.

El Señor puede dar el arrepentimiento a los más inverosímiles, convirtiendo a los leones en corderos, y a los cuervos en palomas. Miremos hacia Él para que se produzca en nosotros este gran cambio. Sin duda, contemplar la muerte de Cristo es una de las formas más seguras y rápidas de ser persuadido al arrepentimiento. No te sientes a tratar de bombear sentimientos de arrepentimiento desde el pozo seco de la naturaleza corrupta. No puedes forzar tu alma al estado de gracia del arrepentimiento. En cambio, lleva tu corazón a Aquel que lo entiende y ora: "Señor, límpialo. Señor, renuévalo. Señor, obra el arrepentimiento en él".

Cuanto más intentes producir emociones de arrepentimiento por tu cuenta, más te decepcionarás. Pero si piensas -con fe- en que Jesús murió por ti, el arrepentimiento brotará. Medita en que el Señor derramó la sangre de su corazón por amor a ti. Considera la agonía y el sudor sangriento: la cruz y la pasión. Al hacerlo, Aquel que soportó todo este dolor te mirará, y con esa mirada hará por ti lo que hizo por Pedro cuando lloró amargamente (Lucas 22:62). El que murió por ti puede, por su Espíritu de gracia, hacerte morir al pecado. Él ha ido a la gloria en tu nombre y puede atraer a tu alma para que siga a Él - lejos del mal y hacia la santidad.

Quiero dejarles este pensamiento. No busques bajo el hielo para encontrar fuego, y no esperes encontrar el arrepentimiento en tu propio corazón natural. Mira al que vive para encontrar la vida. Busca en Jesús todo lo que necesitas. Nunca busques en otra parte ninguna parte del amor que Jesús otorga, sino recuerda siempre que Cristo lo es todo.

Capítulo 15

El Temor A La Caída Final

Un oscuro temor ronda las mentes de muchos que vienen a Cristo. Temen no perseverar hasta el final. He escuchado a uno que busca la salvación decir: "Una vez que arroje mi alma sobre Jesús, ¿qué pasa si después de todo soy arrastrado al castigo del infierno? He tenido buenos sentimientos antes y se han apagado. Mi bondad ha sido como el rocío temprano. Vino rápidamente, duró un tiempo, prometió mucho y luego se desvaneció".

Creo que este miedo es a menudo el indicador del hecho de que algunas personas que han tenido miedo de confiar en Cristo para siempre y para toda la eternidad han fracasado porque tenían una fe temporal, que nunca fue lo suficientemente lejos para salvarlos. Ellos empezaron a confiar en Jesús hasta cierto punto, pero todavía se miraban a sí mismos para continuar y perseverar en vivir una vida piadosa. Debido a que no pusieron su fe sólo en Cristo, como consecuencia natural, se volvieron atrás en poco tiempo.

Si confiamos en nuestra propia capacidad para mantenernos, fracasaremos. Aunque descansemos en Jesús para nuestra salvación, fracasaremos si también intentamos confiar en nosotros mismos para cualquier cosa. Ninguna cadena es más fuerte que su eslabón más débil. Si Jesús es nuestra esperanza para todo, excepto para una cosa, fracasaremos completamente, porque en esa única cosa no llegaremos a nada.

No me cabe duda de que este pensamiento erróneo sobre la perseverancia de los santos ha impedido la perseverancia de muchos que sí corrieron bien. ¿Qué les impidió? ¿Qué les impidió seguir corriendo? Confiaron en sí mismos para esa carrera y por eso se detuvieron. Ten cuidado de no mezclar ni siquiera un poco de ti mismo con la mezcla con la que construyes, o harás que sea una mezcla destemplada, y las piedras no se mantendrán unidas. Si miras a Cristo al principio, ten cuidado de no mirarte a ti mismo para completar la obra de Cristo en ti. Él es el Alfa (principio). Asegúrate de confiar en Él como la Omega (final) también. Si comienzas en el Espíritu, no debes esperar ser perfeccionado por la carne. Comienza como si quisieras seguir, y sigue como empezaste. Deja que el Señor sea todo en todo para ti. Oremos para que Dios el Espíritu Santo nos aclare de dónde debe venir la fuerza para perseverar hasta el día de la aparición de nuestro Señor.

He aquí lo que Pablo dijo una vez sobre este tema cuando escribió a los Corintios: *el cual también os confirmará hasta el fin, para que seáis irreprensibles en el día de nuestro Señor Jesucristo. Fiel es Dios, por medio de quien fuisteis llamados a la comunión con su Hijo Jesucristo, Señor nuestro* (1 Corintios 1:8-9).

Este lenguaje admite silenciosamente una gran necesidad al decirnos cómo se provee. Dondequiera que el Señor haga una provisión, podemos estar seguros de que hay una necesidad de ella, ya que ninguna superfluidad obstaculiza el pacto de la gracia. En los atrios de Salomón colgaban escudos de oro que nunca se utilizaban, pero en la armería de Dios no hay nada de eso. Lo que Dios ha provisto lo necesitaremos seguramente. De aquí a la consumación de todas las cosas, cada una de las promesas de Dios y cada provisión del pacto de gracia serán utilizadas.

La necesidad urgente del alma creyente es la confirmación, la permanencia, la perseverancia final y la preservación hasta el fin. Esta es la gran necesidad de los creyentes más avanzados, como vemos cuando Pablo escribió a los creyentes de Corinto que se consideraban pensadores entendidos, de los que podía decir: *Siempre doy gracias a mi Dios por vosotros, por la gracia de Dios que os fue dada en Cristo Jesús* (1 Corintios 1:4). Son estas personas las que con toda seguridad sienten que necesitan una nueva gracia cada día si quieren aguantar, resistir y triunfar como vencedores al final.

Si no fueras creyente, no tendrías gracia y no sentirías la necesidad de más gracia; pero porque eres creyente, sientes las exigencias diarias de la vida espiritual. Una estatua de mármol no necesita comida, pero el hombre vivo tiene hambre y sed. Se alegra de que su pan y su agua sean seguros, pues de lo contrario desfallecería en el camino. Las necesidades personales del creyente hacen inevitable que cada día recurra a la gran fuente de todo, porque si no pudiera recurrir a su Dios, ¿qué haría?

Esto es cierto para los creyentes más dotados - para aquellas personas en Corinto que se enriquecieron *en toda palabra y en todo conocimiento* (1 Corintios 1:5). Necesitaban ser confirmados hasta el final o sus dones y logros se convertirían en su ruina. Si habláramos en las lenguas de los hombres y de los ángeles, pero no recibiéramos una nueva gracia, ¿dónde estaríamos? Si ganáramos más y más experiencia hasta convertirnos en líderes de la iglesia -si Dios nos enseñara a entender todos los misterios-, aún así no podríamos vivir ni un solo día sin la vida divina que fluye en nosotros desde Cristo, nuestra cabeza del pacto. ¿Cómo podríamos esperar aguantar una sola hora, por no hablar de toda una vida, si el Señor no se aferrara a nosotros? *El que comenzó en vosotros la buena obra, la perfeccionará hasta el día de Cristo Jesús* (Filipenses 1:6), o será un doloroso fracaso.

Esta gran necesidad surge en gran medida de nosotros mismos. Algunos albergan el doloroso temor de no perseverar en la gracia, porque conocen su propia falta de fe. En relación con el carácter general, algunas personas son inestables. Algunas son equilibradas por naturaleza, pero otras son naturalmente impredecibles y de temperamento caliente. Como las mariposas, revolotean de flor en flor, hasta que visitan todas las bellezas del jardín y no se quedan con ninguna. Nunca se quedan en un lugar el tiempo suficiente para hacer algo bueno, ni siquiera en su trabajo o en sus actividades académicas. Estas personas pueden tener miedo de que diez, veinte, treinta, cuarenta, quizás cincuenta años de vigilancia espiritual continua sean demasiado para ellos. Como resultado, vemos a personas que se unen a una iglesia tras otra, hasta que pueden recitar los treinta y dos puntos y cuartos de la brújula magnética tanto en el sentido de las agujas del reloj como en el contrario. Estas personas tienen la doble de necesidad de orar para que puedan ser divinamente establecidas y hechas no sólo firmes sino también inamovibles. De lo contrario, no se encontrarán abundando siempre en la obra del Señor (1 Corintios 15:58).

Todos nosotros, aunque no tengamos una tentación profunda de inconstancia, una vez que hemos nacido de nuevo de Dios, debemos reconocer nuestra propia debilidad. En un día cualquiera, encontrarás lo suficiente para hacerte tropezar. Si usted desea caminar en perfecta santidad, como confío que lo hace, debe establecer un estándar alto con respecto a lo que debe ser un cristiano. Para la mayoría de nosotros, antes de que se retiren los platos del desayuno de la mesa, hemos mostrado suficiente insensatez para avergonzarnos de nosotros mismos.

Si nos encerráramos en la solitaria celda de un ermitaño, la tentación seguiría persiguiéndonos, porque mientras no podamos escapar de nosotros mismos, no podremos escapar de la atracción del pecado. Dentro de nuestro corazón, está lo que debe hacernos vigilantes y humildes ante Dios. Si Él no nos fortalece, somos tan débiles que tropezaremos y caeremos espiritualmente, no porque nos venza un enemigo, sino por nuestro propio descuido. Señor, sé nuestra fuerza, porque nosotros somos la debilidad misma.

Además, está el cansancio que conlleva una vida larga. Cuando comenzamos nuestra vida cristiana y profesamos nuestra fe a los demás, montamos con alas como las águilas. A medida que crecemos en Él, corremos sin cansancio, pero es en nuestros mejores y más verdaderos días cuando caminamos sin desfallecer (Isaías 40:31). Nuestro paso puede parecer más lento, pero es más útil y mejor sostenido. Pido a Dios que la energía de nuestra juventud continúe con nosotros cuando se trata de la energía del Espíritu y no sólo de la excitación de la carne orgullosa.

El que ha caminado mucho tiempo por el camino del cielo descubre que hay una buena razón por la que se prometió que sus zapatos serían de hierro y de bronce (Deuteronomio 33:25), porque el camino es duro. Ha descubierto Colinas de Dificultad y Valles de Humillación; que hay un Valle de la Sombra de la Muerte, y, peor aún, una Feria de la Vanidad - y todos ellos han de ser recorridos. Si hay Montañas Deliciosas (y, gracias a Dios, las hay), también hay Castillos Dudosos de la Desesperación, cuyo interior los peregrinos han visto con demasiada frecuencia[6]. Considerando todas las cosas, los que soporten hasta el final en el camino de la santidad serán hombres de presagio (Zacarías 3:8).

"Oh, mundo de las maravillas, no puedo decir menos."[7] Los días de la vida de un cristiano son como

---

6 Referencias a "*El Progreso del Peregrino*" de John Bunyan.
7 Ibid.

muchos grandes e incoloros diamantes de misericordia enhebrados en el hilo de oro de la fidelidad divina. En el cielo, contaremos a los ángeles, a los principados y a las potestades las inescrutables riquezas de Cristo que fueron derramadas en nosotros y disfrutadas por nosotros mientras estábamos aquí en la tierra. Nos han mantenido vivos al borde de la muerte. Nuestra vida espiritual ha sido una llama que arde en medio del mar, una piedra suspendida en el aire. Asombrará al universo vernos entrar por las puertas del cielo, irreprochables en el día de nuestro Señor Jesucristo. Deberíamos estar llenos de asombro y agradecimiento, si somos guardados por un tiempo, y creo que lo somos (Juan 6:39).

Si esto fuera todo, tendríamos suficientes motivos de ansiedad, pero hay mucho más. Tenemos que pensar en este mundo en el que vivimos. Es un desierto aullante para muchos del pueblo de Dios. Algunos de nosotros estamos muy complacidos con la providencia de Dios, pero otros tienen una seria lucha contra ella. Algunos de nosotros comenzamos nuestro día con la oración y a menudo oímos la voz del canto sagrado que llena nuestras casas, pero muchas personas buenas apenas se levantan de sus rodillas por la mañana antes de ser recibidas con blasfemias. Salen a trabajar y son agredidos con conversaciones soeces durante todo el día. ¿Acaso se puede caminar por las calles sin ser agredido con lenguaje soez?

El mundo no es amigo de la gracia. Lo mejor que podemos hacer con este mundo es atravesarlo tan rápido como podamos, porque mientras estamos aquí, vivimos en un país enemigo. Un ladrón acecha en cada arbusto. Tenemos que viajar por todas partes con una espada desenvainada en la mano, o al menos tener siempre a nuestro lado esa arma que se llama oración, porque debemos luchar por cada centímetro de nuestro camino. No te equivoques en esto, o serás sacudido bruscamente de tu cálida ilusión. Dios, ayúdanos y valida nuestro nacimiento espiritual hasta el final, o ¿dónde estaremos?

La verdadera fe es sobrenatural en su comienzo, sobrenatural en su continuación y sobrenatural en su final. Es la obra de Dios de principio a fin. Todavía hay una gran necesidad de que la mano del Señor esté extendida. Es una necesidad que sientes ahora, y me alegro de que la sientas. Eso significa que ahora buscarás al Señor para tu propia preservación. Sólo Dios es capaz de evitar que fallemos y de glorificarnos con su Hijo.

Capítulo 16

Confirmación Espiritual

Quiero que noten la seguridad que Pablo esperaba confiadamente para todos los santos. Dice, *el cual también os confirmará hasta el fin, para que seáis irreprensibles en el día de nuestro Señor Jesucristo.* (1 Corintios 1:8). Esta clase de confirmación debe ser deseada sobre todas las cosas. Supone que las almas son correctas y se propone confirmarlas en lo correcto. Sería terrible confirmar a un hombre en los caminos del pecado y del error. Piensa en un borracho confirmado, o en un ladrón confirmado, o en un mentiroso confirmado. Sería algo deplorable que un hombre fuera confirmado en la incredulidad y la impiedad.

La confirmación espiritual sólo puede ser disfrutada por aquellos que ya han recibido la gracia de Dios. Es obra del Espíritu Santo. Este es el que da la fe, la fortalece y la establece. El que enciende el amor en nosotros, que lo conserva y que aumenta su llama. Lo que nos hace conocer, por su primera enseñanza, el buen Espíritu, con la instrucción siguiente, nos hace conocer con mayor claridad y certeza.

Los actos santos se establecen hasta que se convierten en hábitos, y los sentimientos santos se validan hasta que se hacen duraderos. La experiencia y la práctica confirman nuestras creencias y nuestros propósitos, del mismo modo que al árbol le ayudan a arraigar las suaves lluvias y los fuertes vientos. Tanto nuestras alegrías como nuestras penas, nuestros éxitos y nuestros fracasos se santifican con el mismo fin. La mente es instruida y reúne razones para perseverar en el buen camino a través de su creciente conocimiento. El corazón es reconfortado y se aferra más a la verdad consoladora. El agarre se hace más fuerte, el paso se hace más seguro, y el creyente se hace más sólido y sustancial.

Esto es más que un simple crecimiento natural. Es una obra distinta de conversión por el Espíritu. El Señor lo da a los que confían en Él para la vida eterna. Por su obra interior, nos libra de ser *incontrolados como el agua* (Génesis 49:4) y hace que estemos arraigados y cimentados en Él. Es una parte del método por el cual Dios nos salva - esta edificación en Cristo Jesús y hace que permanezcamos en Él. Como creyente, usted puede buscar esto diariamente, y no será decepcionado. Al poner tu confianza en Dios, Él te hará ser como un árbol plantado junto a ríos de agua, tan preservado que incluso tu hoja no se marchitará (Salmo 1:3).

Un cristiano confirmado es una fuerza para la iglesia. Es un consuelo para los tristes y una ayuda para los débiles. ¿No te gustaría ser un cristiano así? Los creyentes confirmados son pilares en la casa de Dios que no son llevados por todo viento de doctrina, ni derribados por tentaciones repentinas (Efesios 4:14). Son un gran apoyo para otros y actúan como anclas en tiempos de problemas en la iglesia. Si estás empezando tu vida en Cristo, apenas te atreves a esperar que algún día llegarás a ser como ellos, pero deja a un lado ese temor, porque el buen Dios obrará en ti al igual que en ellos. Aunque ahora sólo eres un "bebé" en Cristo, un día de estos serás un "padre" en la iglesia. Espera esto como un don de la gracia y no como algo que has ganado por medio de las obras o como el producto de tus propios esfuerzos.

El inspirado apóstol Pablo habla de estas personas como confirmadas hasta el final. Él esperaba que la gracia de Dios los preservara personalmente hasta el final de sus vidas, o hasta el regreso del Señor Jesús. En realidad, él esperaba que toda la iglesia de Dios en todo lugar y a través de todos los tiempos se mantuviera y perseverara hasta que el Señor Jesús regresara como el Esposo para celebrar la fiesta de bodas con su novia perfeccionada - la iglesia. Todos los que están en Cristo serán confirmados en Él hasta ese ilustre día. ¿No dijo Jesús mismo, *porque yo vivo, vosotros también viviréis?* (Juan 14:19). También dijo: Yo les doy vida eterna y jamás perecerán, y nadie las arrebatará de mi mano Juan 10:28). El que comenzó la buena obra en ustedes la perfeccionará hasta el día de Cristo Jesús (Filipenses 1:6).

La obra de la gracia en el alma no es una reforma superficial. La vida implantada en el nuevo nacimiento proviene de una semilla viva e incorruptible, que vive y permanece para siempre (1 Pedro 1:23). Las promesas de Dios hechas a los creyentes no son temporales, sino que su cumplimiento implica que el creyente se mantenga en su camino hasta que llegue a la gloria sin fin. *El justo se mantendrá en su camino* (Job 17:9). Esto es posible porque somos guardados por el poder de Dios, mediante la fe para la salvación, no como resultado de nuestros propios méritos o fuerzas, sino como un don de aprobación gratuito e inmerecido *para los que son guardados por Jesucristo* (Judas 1). Jesús no perderá a ninguna de las ovejas de su redil. Ni un solo miembro de su cuerpo morirá espiritualmente. No faltará ninguna gema de su tesoro en el día en que él reponga sus joyas. La salvación que se recibe por la fe no es algo por lo que trabajamos durante meses y años, porque nuestro Señor Jesús ya ha obtenido la salvación eterna para nosotros. Cómo es eterna, eso significa que no puede llegar a su fin.

Pablo también declara su expectativa de que los santos de Corinto sean confirmados hasta el final como irreprochables (1 Corintios 1:8). Esta irreprochabilidad es una parte preciosa de nuestro ser guardado en Él. Ser guardados santamente es más que ser guardados a salvo. Es terrible ver a personas religiosas que van de una deshonra a otra porque no han creído en el poder de nuestro Señor para hacerlos irreprochables. Incluso las vidas de algunos cristianos profesantes son una serie de tropiezos. Nunca caen del todo, pero rara vez están de pie. Esto no es apropiado para un creyente que es invitado a caminar con Dios. Por la fe puede llegar a la santidad con una tenacidad constante, y debe hacerlo. Dios es capaz no sólo de salvarnos del infierno, sino también de evitar que caigamos.

No tenemos que ceder a la tentación. ¿No está escrito que *el pecado no tendrá dominio sobre vosotros* (Romanos 6:14)? El Señor es capaz de evitar que los pies de sus santos tropiecen, y lo hará si confiamos en Él para que lo haga. No necesitamos manchar nuestras vestiduras, porque por Su gracia podemos mantenerlas sin mancha del mundo. Estamos obligados a hacerlo, porque sin santidad nadie verá al Señor (Hebreos 12:14). El apóstol profetizó para estos creyentes la misma cosa que quiere que busquemos: que podamos ser preservados, *santos, sin mancha e irreprensibles delante de Él* (Colosenses 1:22). Los que pertenecen a Dios son intachables.

Que Dios nos conceda que en ese último gran día podamos quedar libres de toda acusación, para que nadie en todo el universo pueda atreverse a desafiar nuestra pretensión de ser los redimidos del Señor. Tenemos fracasos y enfermedades por las que lamentarnos, pero no son el tipo de faltas que demostrarían que estamos fuera de Cristo. Estaremos libres de la hipocresía continua e inconfesable, el engaño, el odio, la inmoralidad y el deleite en el pecado, porque estos serían cargos fatales.

A pesar de nuestros defectos, el Espíritu Santo puede obrar en nosotros un carácter intachable ante los hombres, de modo que, como Daniel, no demos ocasión a la gente de acusarnos, excepto en lo que respecta a nuestra fe. Multitudes de hombres y mujeres piadosos han exhibido vidas tan transparentes, tan completamente consistentes, que nadie podría hablar contra ellos. Con respecto a tales creyentes hoy en día, el Señor podrá decir lo que dijo sobre Job cuando Satanás estuvo frente a él: ¿Te has fijado en mi siervo Job? Porque no hay ninguno como él sobre la tierra, hombre intachable y recto, temeroso de Dios y apartado del mal (Job 1:8).

Esto es lo que debes buscar de la mano del Señor. Este es el triunfo de los santos: continuar siguiendo al Cordero dondequiera que vaya y mantener nuestra integridad ante el Dios vivo. Que nunca nos desviemos por caminos corruptos y demos pie al adversario para que hable con reproche de Dios o del Espíritu Santo. Porque está escrito del verdadero creyente que *el que ha nacido de Dios, lo guarda y el maligno no lo toca.* (1 Juan 5:18). Que lo mismo esté escrito respecto a nosotros.

Si estás empezando en la vida santa, el Señor puede darte un carácter irreprochable. Incluso si has vivido en lo más profundo del pecado en el pasado, el Señor puede liberarte totalmente del poder de los hábitos anteriores y hacer de ti un ejemplo de virtud. No sólo puede hacerte moral, sino que también puede hacerte aborrecer todo camino falso y seguir todo lo que es piadoso. No lo dudes. El principal de los pecadores no necesita estar un poco por detrás del creyente más puro. Créelo y según tu fe se hará por ti.

Oh, qué gozo será ser encontrado irreprochable en el día del juicio. No nos equivocamos cuando nos unimos a ese maravilloso himno "Jesús, tu sangre y tu justicia"[8] y cantamos

> *Atrevido estaré en aquel gran día,*
> *Porque, ¿quién debe acusarme?*
> *Mientras que, a través de tu sangre, estoy absuelto*
> *De la tremenda maldición y vergüenza del pecado*

Qué delicia será disfrutar de esa valentía, cuando el cielo y la tierra huyan del rostro del juez de todos. Esta dicha será la porción de todo aquel que mira a la gracia de Dios en Cristo Jesús, y nada más, y que en esa fuerza santificadora libra una guerra continua contra todo pecado.

8 Charles B. Snepp, ed., *Cantos de gracia y gloria para el culto privado, familiar y público* (Londres: W. Hunt & Co., 1872)

Capítulo 17

¿Por Qué Perseveran Los Santos?

Ya hemos visto que la esperanza que llenaba el corazón del apóstol Pablo respecto a los hermanos de Corinto era un consuelo para los que temían por su futuro. Pero, ¿por qué creía que los hermanos serían confirmados - fortalecidos y establecidos - hasta el final?

Si miras atentamente 1 Corintios 1:9, notarás que da sus razones. Aquí están: *Fiel es Dios, por medio de quien fuisteis llamados a la comunión con su Hijo Jesucristo, Señor nuestro.*

El apóstol no dice: "Eres fiel". Desgraciadamente, la fidelidad de los humanos es un asunto muy poco fiable. Es simplemente inútil.

No dice: "Tenéis ministros fieles que os dirigen y guían, y por eso confío en que estaréis a salvo". No. Si vamos a ser guardados por los hombres, sólo seremos mal guardados. El apóstol Pablo dice que *Dios es fiel*.

Si somos encontrados fieles, será porque Dios es fiel, no por otra persona. Toda la carga de nuestra salvación debe descansar en la fidelidad de nuestro Dios, porque el asunto gira en torno a este glorioso atributo de Dios.

Somos tan imprevisibles como el viento, frágiles como una tela de araña y débiles como el agua. No podemos depender de nuestras cualidades naturales ni de nuestros logros espirituales, Dios permanece fiel (2 Timoteo 2:13). Él es fiel en su amor... *no hay cambio ni sombra de variación* (Santiago 1:17). Él es fiel a su propósito. Él no comienza una obra y luego la deja sin hacer (Filipenses 1:6). Es fiel a sus relaciones. Como Padre, no renunciará a sus hijos. Como amigo, no negará a su pueblo. Como Creador, no abandonará la obra de Sus manos. Dios es fiel a Sus promesas y nunca permitirá que una de ellas falle a un solo creyente. Él es fiel a Su pacto, que ha hecho con nosotros en Cristo Jesús y ratificado con la sangre de Su sacrificio. Es fiel a su Hijo y no permitirá que su preciosa sangre se derrame en vano. Es fiel a su pueblo, al que ha prometido la vida eterna y del que no se apartará.

Esta fidelidad de Dios es el fundamento y la piedra angular de nuestra esperanza de perseverancia final. Los verdaderos creyentes seguirán adelante en la santidad, porque Dios persevera en la gracia. Él continúa bendiciendo, y por lo tanto los creyentes continúan siendo bendecidos. Él continúa guardando a Su pueblo, y por lo tanto ellos continúan guardando Sus mandamientos. Este es un buen terreno sólido en el que descansar. En este sentido, es el favor gratuito y la misericordia infinita los que marcan el amanecer de la salvación, y las mismas dulces campanas suenan melodiosamente durante todo el día de la gracia.

Las únicas razones para esperar que seamos confirmados y hallados irreprochables al final se encuentran en nuestro Dios, y en Él estas razones son sumamente abundantes. En primer lugar, están en lo que Dios ha hecho. Él ha ido tan lejos en la bendición de nosotros que no es posible que Él se eche atrás. Pablo nos recuerda que Él [nos] ha *llamado a la comunión con su Hijo Jesucristo, Señor nuestro* (1 Corintios 1:9). Si Él nos llamó, entonces el llamado no puede ser revertido, *porque los dones y el llamamiento de Dios son irrevocables* (Romanos 11:29). El Señor nunca se aparta de la poderosa llamada de su gracia.

A los que llamó, a esos también justificó; y a los que justificó, a esos también glorificó (Romanos 8:30). Esta es la regla inmutable del procedimiento divino de Dios. Un llamado conocido en la Escritura dice, *Muchos son llamados, pero pocos son escogidos* (Mateo 22:14), pero de lo que estamos hablando ahora es de otra cosa - otro tipo de llamado, que promete un amor especial y requiere la posesión de aquello a lo que somos llamados. Con el llamado en este caso, como con la descendencia de Abraham, el Señor ha dicho, *Tú, a quien tomé de los confines de la tierra, y desde sus lugares más remotos te llamé, y te dije: «Mi siervo eres tú; yo te he escogido y no te he rechazado»* (Isaías 41:9).

Vemos fuertes razones para nuestra preservación y futura gloria en lo que el Señor ha hecho. El Señor nos ha llamado a la comunión de su Hijo Jesucristo. Considera cuidadosamente lo que esto significa. Significa que somos llamados a la comunión con Jesucristo. Si de hecho eres llamado por la gracia divina, has entrado en comunión con el Señor Jesucristo, como copropietario con Él en todas las cosas. A partir de ahora, eres uno con Él a los ojos del Dios Altísimo.

El Señor Jesús llevó tus pecados en su propio cuerpo en la cruz. Con este acto, Él fue hecho maldición por ti y al mismo tiempo se convirtió en tu justicia. Como resultado, estás justificado en Él. Tú eres de Cristo y Cristo es tuyo. De la misma manera que Adán representó a sus descendientes, Jesús representa a todos los que están en Él. Como el esposo y la esposa son uno, así Jesús es uno con todos los que están unidos a Él por la fe - uno por una unión conyugal que nunca puede ser rota.

Más que esto, los creyentes son miembros del cuerpo de Cristo y por lo tanto son uno con Él por una unión amorosa, viva y duradera. Dios nos ha llamado a esta unión, a esta comunión, a esta asociación, y por este mismo hecho, nos ha dado la señal y la prenda de que seremos confirmados hasta el final. Si fuéramos considerados aparte de Cristo, seríamos pobres individuos perecederos, que pronto serían llevados a la destrucción eterna. Pero cuando somos uno con Jesús, somos hechos partícipes de su naturaleza y dotados de su vida inmortal. Nuestro destino está ligado al de nuestro Señor, y como es imposible que Él pueda ser destruido, no es posible que perezcamos.

Piensa en esta unión con el Hijo de Dios -esta unión a la que has sido llamado- porque toda tu esperanza está ahí. Puesto que estás firmemente unido a Él, nunca podrás ser pobre mientras Jesús sea rico. La pobreza nunca podrá atormentarte, ya que eres copropietario con Aquel que es poseedor del cielo y de la tierra. Nunca podrás fracasar, porque aunque uno de los socios de la empresa sea pobre, esté en bancarrota y no pueda pagar ni siquiera una pequeña cantidad de sus abultadas deudas, el otro socio sigue siendo inconcebiblemente, inagotablemente rico. En una sociedad así, te elevas por encima de la infelicidad de los tiempos, de los cambios del futuro y de la conmoción del fin de todas las cosas. El Señor te ha llamado a la comunión de su Hijo Jesucristo, y por ese hecho te ha puesto en el lugar de la protección indefectible.

Si eres realmente un creyente, eres uno con Jesús y por lo tanto estás seguro. ¿Ves la verdad en esto? Debes ser confirmado como Suyo hasta el final, hasta el día en que te encuentres con Él, si realmente has sido hecho uno con Jesús por el acto irrevocable de Dios. Entonces tú, el pecador creyente, estás en el mismo barco con Jesús, y a menos que Jesús se hunda, el creyente nunca se ahogará. Jesús ha llevado a Sus redimidos a una relación tal consigo mismo, que primero debe ser golpeado, vencido y deshonrado, para que el más pequeño de Sus comprados no sea herido. Su nombre está a la cabeza de la sociedad, y hasta que pueda ser deshonrado, estamos seguros contra todo temor de fracaso.

Como resultado, podemos avanzar con gran confianza hacia el futuro desconocido, porque estamos vinculados eternamente con Jesús. Si la gente del mundo pregunta ¿Quién es esta que sube del desierto, *recostada sobre su amado?* (Cantar de los Cantares

8:5), confesaremos con alegría que nos apoyamos en Jesús y que tenemos la intención de apoyarnos en Él cada vez más. Nuestro Dios fiel es un pozo de delicias que siempre fluye y nuestra comunión con el Hijo de Dios es un río lleno de alegría. Sabiendo estas cosas gloriosas, no podemos desanimarnos. No. Más bien lloramos con el apóstol, ¿Quién nos separará del amor de Cristo? (Romanos 8:35).

Conclusión

Si no me has seguido paso a paso al leer las páginas de este libro, lo siento de verdad. La lectura de un libro es de poco valor a menos que las verdades que pasan por la mente sean captadas, adoptadas y aplicadas prácticamente. Es como una persona que ve mucha comida en una tienda y sigue teniendo hambre, porque no se detiene a comer nada de ella. Si esto es así para ti con respecto a la lectura de este libro, es todo en vano que tú y yo nos hayamos encontrado a través de las páginas de este libro, a menos que realmente hayas aceptado a Cristo Jesús, mi Señor.

Por mi parte, hay un claro deseo de ayudarte espiritual y eternamente. He hecho todo lo posible para lograrlo, y he anhelado ganar ese privilegio. Pensaba en ti cuando escribí esta página, y dejé la pluma y me incliné fervientemente en oración por todos los que la leyeran. Tengo la firme convicción de que un gran número de lectores serán bendecidos, y me duele si no he podido llegar a tí de esta manera. Si ese es el caso, debo preguntar, ¿por qué lo rechazas?

Si no deseas la excelente bendición que te he traído, al menos sé justo y admite que la culpa de tu destino final no recaerá en mi puerta. Cuando los dos nos encontremos ante el gran trono blanco, no podrás culparme por haber utilizado ociosamente la atención que me prestaste al leer mi librito. Dios sabe que yo escribí cada línea para tu bien eterno. Ahora te tomo de la mano en el espíritu con un apretón firme. ¿Sientes mi apretón fraternal? Las lágrimas llenan mis ojos mientras te miro y te digo: "¿Por qué vas a morir? ¿No vas a pensar en tu alma? ¿Elegirás perecer espiritualmente por puro descuido? Por favor, no lo hagas. Sopesa estos serios asuntos y asegúrate de elegir para la eternidad. No rechaces a Jesús, Su amor, Su sangre, Su salvación. ¿Por qué harías eso? ¿Puedes realmente hacerlo? Te ruego que no te alejes de tu Redentor".

Por otro lado, si mis oraciones son escuchadas y has sido llevado a confiar en el Señor Jesús y recibir de Él la salvación por gracia, entonces mantén esta doctrina y esta forma de vivir. Deja que Jesús sea tu todo en todo y vive y muévete sólo en la gracia gratuita. No hay mejor vida que la de alguien que vive en el favor de Dios. Recibir todo esto como un don gratuito protege la mente del orgullo como el de los Fariseos y de la desesperación auto acusadora. Hace que el corazón se caliente con amor agradecido, y, de esta manera, crea un sentimiento en el alma que es infinitamente más aceptable para Dios que cualquier cosa que pueda surgir del miedo sin sentido.

Aquellos que esperan ser salvados tratando de hacer lo mejor que puedan, no saben nada de ese compromiso radiante, esa calidez bendita y esa alegría devota en Dios, todo esto viene con la salvación dada gratuitamente según la gracia de Dios. El espíritu insensato de la auto-salvación no es rival cuando se compara con el espíritu alegre de la adopción. Hay más beneficio real en el más pequeño sentimiento de fe que en todos los tirones de las promesas legales o en todas las fatigas de los devotos que planean subir al cielo por sus series interminables de ceremonias. La fe es espiritual, y Dios, que es un espíritu, se deleita en ella por esa razón. Años de rezar oraciones, de ir a la iglesia o a la capilla y de participar en ceremonias y espectáculos pueden llegar a ser sólo una abominación a los ojos de Dios. Pero una mirada del ojo de la verdadera fe, es espiritual y querida por Él. *Porque ciertamente a los tales el Padre busca que le adoren* (Juan 4:23). Mira primero al ser interior y a lo espiritual, y lo demás vendrá a su debido tiempo.

Si ya eres salvo, cuida de las almas que no lo son. Tu propio corazón no prosperará si no está lleno de una intensa preocupación por los demás. La vida de tu alma está en la fe. Su salud radica en el amor. El que no anhela llevar a otros a Jesús nunca ha estado bajo la influencia de su amor. Dedícate a la obra del Señor - la obra del amor. Comienza en tu casa. Luego, visita a tus vecinos. Cuéntale a la gente del pueblo, o que viven en la calle en la que vives. Esparce la Palabra del Señor como una semilla, allí donde tu mano pueda alcanzar.

Querido lector, nos vemos en el cielo. No elijas bajar al infierno. No hay vuelta atrás de ese lugar de miseria. ¿Por qué quieres entrar en el camino de la muerte cuando la puerta del cielo está abierta ante ti? No rechaces el perdón gratuito, la salvación plena que Jesús concede a todos los que confían en Él. No vaciles ni te demores. Ya has tenido suficiente tiempo para decidir. Es hora de actuar. Cree en Jesús ahora con una determinación inmediata y completa. Lleva las palabras contigo y acude a tu Señor hoy, porque puede ser ahora o nunca. Debes estar seguro. Que sea AHORA, porque sería horrible que fuera nunca.

De nuevo te digo - encuéntrate conmigo en el cielo.

Charles H. Spurgeon – Una Breve Biografía

Charles Haddon Spurgeon nació el 19 de junio de 1834 en Kelvedon, Essex, Inglaterra. Era uno de los diecisiete hijos de su familia (nueve de los cuales murieron en la infancia). Su padre y su abuelo eran ministros no conformistas en Inglaterra. Debido a las dificultades económicas, Charles, de dieciocho meses, fue enviado a vivir con su abuelo, quien ayudó a enseñarle los caminos de Dios. Más tarde, Charles recordaba haber visto las imágenes de El Progreso del Peregrino y del Libro de los Mártires de Foxe cuando era pequeño.

Charles no tuvo una gran educación formal y nunca fue a la universidad. Sin embargo, leyó mucho a lo largo de su vida, especialmente libros de autores puritanos.

Incluso con padres y abuelos piadosos, el joven Charles se resistió a entregarse a Dios. No fue hasta los quince años que nació de nuevo. Se dirigía a su iglesia habitual, pero cuando una fuerte tormenta de nieve le impidió llegar, se dirigió a una pequeña capilla Metodista Primitiva. Aunque sólo había unas quince personas, el predicador habló de Isaías 45:22: "*Volveos a mí y sed salvos, todos los términos de la tierra*". Los ojos de Charles Spurgeon fueron abiertos y el Señor convirtió su alma.

Comenzó a asistir a una iglesia bautista y a enseñar en la escuela dominical. Pronto predicó su primer sermón y, a los dieciséis años, se convirtió en el pastor de una pequeña iglesia bautista en Cambridge. La iglesia pronto llegó a tener más de cuatrocientas personas, y Charles Spurgeon, a la edad de diecinueve años, pasó a ser el pastor de la iglesia de New Park Street en Londres. La iglesia pasó de tener unos cientos de asistentes a unos miles. Construyeron una adición a la iglesia, pero todavía necesitaban más espacio para acomodar a la congregación. En 1861 se construyó en Londres el Tabernáculo Metropolitano, con capacidad para más de 5.000 personas. El pastor Spurgeon predicaba el sencillo mensaje de la cruz, y así atrajo a muchas personas que querían escuchar la Palabra de Dios predicada con el poder del Espíritu Santo.

El 9 de enero de 1856, Charles se casó con Susannah Thompson. Tuvieron dos hijos gemelos, Charles y

Thomas. Charles y Susannah se amaron profundamente, incluso en medio de las dificultades y problemas que enfrentaron en la vida, incluyendo problemas de salud. Se ayudaban espiritualmente y a menudo leían juntos los escritos de Jonathan Edwards, Richard Baxter y otros escritores puritanos.

Charles Spurgeon era amigo de todos los cristianos, pero se mantenía firme en las Escrituras, y eso no agradaba a todos los que le escuchaban. Spurgeon creía y predicaba sobre la soberanía de Dios, el cielo y el infierno, el arrepentimiento, el avivamiento, la santidad, la salvación sólo por medio de Jesucristo, y la infalibilidad y necesidad de la Palabra de Dios. Habló contra la mundanalidad y la hipocresía entre los cristianos, y contra el catolicismo romano, el ritualismo y el modernismo.

Una de las mayores controversias en su vida fue conocida como la "Controversia de Degradación". Charles Spurgeon creía que algunos pastores de su tiempo estaban "rebajando" la fe al comprometerse con el mundo o con las nuevas ideas de la época. Dijo que algunos pastores estaban negando la inspiración de la Biblia, la salvación por la fe solamente, y la verdad de la Biblia en otras áreas, como la creación. Muchos pastores que creían en lo que Spurgeon condenaba no estaban contentos con esto, y Spurgeon finalmente renunció a la Unión Bautista.

A pesar de algunas dificultades, Spurgeon llegó a ser conocido como el "Príncipe de los Predicadores". Se opuso a la esclavitud, fundó un seminario para pastores, abrió un orfanato, lideró la ayuda para alimentar y vestir a los pobres, tuvo un fondo de libros para los pastores que no podían costear los libros, y mucho más.

Charles Spurgeon sigue siendo uno de los predicadores más publicados de la historia. Sus sermones se imprimían cada semana (incluso en los periódicos), y luego los sermones del año se reeditaban como libro al final del año. Los primeros seis volúmenes, de 1855 a 1860, se conocen como "Púlpito de New Park Street", mientras que los siguientes cincuenta y siete volúmenes, de 1861 a 1917 (sus sermones siguieron publicándose mucho después de su muerte), se conocen como el Púlpito del Tabernáculo Metropolitano. También supervisó una publicación mensual de tipo revista llamada La Espada y la Paleta, y Spurgeon escribió muchos libros, incluyendo *Conferencias para mis alumnos, Toda la Gracia, Around the Wicket Gate, Advice for Seekers, Charlas de John Ploughman, El Ganador de almas, Palabras de Consejo, Talonario de Cheques del Banco de la Fe, Mañana y Noche*, su autobiografía, y otros, incluyendo algunos comentarios, como su estudio de veinte años sobre los Salmos - *El Tesoro de David*.

Charles Spurgeon predicaba a menudo diez veces por semana, y se calcula que predicó a diez millones de personas durante su vida. Por lo general, predicaba a partir de una sola página de apuntes y, a menudo, a partir de un simple esquema. Leía unos seis libros a la semana. Durante su vida, leyó El Progreso del Peregrino más de cien veces. Cuando murió, su biblioteca personal constaba de más de 12.000 libros. Sin embargo, la Biblia siempre fue el libro más importante para él.

Spurgeon pudo hacer lo que hizo con el poder del

Espíritu Santo de Dios porque siguió su propio consejo: se reunía con Dios todas las mañanas antes de reunirse con los demás, y continuaba en comunión con Dios durante todo el día.

Charles Spurgeon sufría de gota, reumatismo y un poco de depresión entre otras enfermedades. Iba a menudo a Menton, Francia, para recuperarse y descansar. Predicó su último sermón en el Tabernáculo Metropolitano el 7 de junio de 1891 y murió en Francia el 31 de enero de 1892, a la edad de cincuenta y siete años. Fue enterrado en el cementerio de Norwood, en Londres.

Charles Haddon Spurgeon vivió una vida dedicada a Dios. Sus sermones y escritos siguen influyendo a los cristianos de todo el mundo.